Collection
PROFIL LITTÉRATURE
dirigée par Georges Décote

Série
PROFIL D'UNE ŒUVRE

Essais (1580 - 1588)

MONTAIGNE

Résumé
Thèmes

BÉNÉDICTE BOUDOU
agrégée des lettres
docteur ès lettres

HATIER

Dans la collection « Profil », titres à consulter dans le prolongement de cette étude sur les *Essais*.

● Sur Montaigne et son œuvre

– *Histoire de la littérature en France au XVIe siècle* (« Histoire littéraire », **119**);
– *Memento de littérature française* (« Histoire littéraire », **128-129**);
– *L'autobiographie* (« Thèmes et questions d'ensemble », **111**);
2 textes expliqués extraits des *Essais* : « Au lecteur » (I) ; « Du démentir » (II, 18).

● Sur l'autobiographie

– *L'autobiographie* (« Thèmes et questions d'ensemble », **111**).
– ALAIN-FOURNIER, *Le Grand Meaulnes* (« Profil d'une œuvre », **150**) ; un roman autobiographique, chap. 3.
– CHATEAUBRIAND, *Atala, René, Mémoires d'outre-tombe* (« Profil d'une œuvre », **88**) ; René, un frère jumeau de Chateaubriand, 2e partie, chap. 2.
– ROUSSEAU, *Les Confessions* (« Profil d'une œuvre », **82**) ; acte de naissance de l'autobiographie moderne, chap. 5.

● Sur la vieillesse et la mort

– *Histoire de la littérature en France au XVIIe siècle* (« Histoire littéraire », **120**) ; Bossuet, le thème essentiel de la mort.
– CHATEAUBRIAND, *Atala, René, Mémoires d'Outre-tombe* (« Profil d'une œuvre », **88**) ; le moi face au temps et à la mort, 3e partie, chap. 2.
– IONESCO, *Le roi se meurt* (« Profil d'une œuvre », **32**) ; l'entrée dans la vase, chap. 3.

● Sur l'éducation

– MOLIÈRE, *L'École des femmes* (« Profil d'une œuvre », **87**) ; de l'éducation des filles, chap. 3.
– PRÉVERT, *Paroles* (« Profil d'une œuvre », **28**) ; enfance et école, chap. 5.

● Profil 1000, « guide des Profils »

Guide pour la recherche des idées, des thèmes, des références à partir de la collection « Profil ».

© HATIER, PARIS SEPTEMBRE 1993   ISSN 0750-2516   ISBN 2-218-06836-2

SOMMAIRE

Les Essais

MONTAIGNE
(1533-1592)

TEXTE PHILOSOPHIQUE
XVIᵉ SIECLE

1. RÉSUMÉ

Les *Essais* forment un ensemble de cent sept chapitres de taille variable, répartis en trois livres. Montaigne écrit cet ouvrage afin de mieux se connaître, non en restant centré sur soi, mais en mettant son jugement à l'épreuve sur toutes sortes de sujets. Par la diversité des thèmes abordés et par leur structure éclatée, les *Essais* n'ont rien d'une synthèse ordonnée.

– **Le livre I**, publié en 1580 avec le livre II, compte cinquante-sept chapitres. Après quelques observations d'ordre historique et militaire, Montaigne présente une réflexion philosophique sur la mort, l'amitié, la solitude, l'éducation.

– **Le livre II** (trente-sept chapitres), qui paraît avec le premier livre, est davantage centré sur Montaigne lui-même. Il y expose ses idées sur le suicide, la cruauté, la relation entre parents et enfants, la maladie. Il y évoque aussi ses goûts littéraires, et y définit mieux son objectif : se peindre pour mieux se connaître.

– **Le livre III** (treize chapitres) paraît en 1588. Montaigne y développe des réflexions politiques, il met en cause la colonisation, les procès de sorcellerie. La conscience individuelle et l'expérience quotidienne sont érigées en valeurs car elles font accéder à la vérité. La philosophie de Montaigne consiste désormais à suivre la Nature, ce « doux guide » de l'homme, tout en s'efforçant de se connaître soi-même avec une lucidité exigeante.

2. THÈMES

1. La recherche de la vérité et le refus du mensonge.

2. Une critique de la guerre, de la torture, du colonialisme.

3. L'éducation et les voyages : il s'agit de « former le jugement », l'esprit critique, et non d'accumuler des connaissances. D'ailleurs, le même livre, pour qui veut apprendre, c'est le monde et la diversité des usages que l'on découvre en voyageant.

4. L'amour et l'amitié : Montaigne conçoit surtout l'amour comme désir physique, et en parle avec une grande liberté. Quant à l'amitié, il l'a connue avec La Boétie, qui fut son modèle et son alter ego. Privé de cette amitié par la mort de celui qui le comprenait si bien, Montaigne écrit les *Essais* pour retrouver son image par l'écriture.

5. Le corps, la douleur, la maladie : Montaigne est conscient de l'influence qu'ont les sensations physiques sur le raisonnement, et il a fait l'expérience de la souffrance. Il fait donc de la santé le souverain bien.

6. La vieillesse, la mort : Montaigne ne cesse de méditer sur la mort. D'abord désireux de s'endurcir pour l'affronter, il prend conscience que la mort fait partie de la vie, et il l'accepte comme telle.

7. La philosophie, la morale, la religion : Montaigne se défie de la réflexion abstraite qui passe à côté de la réalité. Il privilégie une morale fondée sur la conscience individuelle, la recherche de la vérité et le refus de la lâcheté comme de la cruauté.

3. AXES DE LECTURE

1. Le genre de l'essai : Créé par Montaigne, l'essai n'est ni une autobiographie, ni une confession, mais un exercice du jugement sur tous les sujets qui se proposent à l'esprit. Les *Essais* sont d'abord des réflexions de Montaigne sur ses lectures. Il y puise des questions, au lieu d'en déduire des certitudes. Petit à petit, le commentaire personnel occupe presque toute la place.

2. Les *Essais*, une réflexion sur soi-même et un portrait de l'homme en général : le livre se présente comme une réflexion sur la connaissance de soi et des autres. Montaigne s'analyse, se reconnaît différent selon les moments, entrevoit la part d'inconscient qui entre dans toutes les réactions des hommes, et la multiplicité de ces réactions.

3. La peinture et l'analyse d'une époque : Montaigne considère son époque à la lumière des historiens anciens et modernes. Il dénonce les abus de son temps, et surtout la prétention des hommes à savoir quoi que ce soit.

4. Un art de vivre : les *Essais* témoignent d'une grande confiance dans la Nature, et proposent moins une leçon qu'une méthode pour être heureux. Il faut s'accepter soi-même en respectant le cours et les choix de la Nature, et en modérant ses désirs.

1 Biographie de Montaigne

Les origines

Michel de Montaigne naît le 28 février 1533 au château de Montaigne, près de Bordeaux. Fils aîné de Pierre Eyquem et d'Antoinette de Louppes, il est d'une famille de riches négociants bordelais anoblis[1] : son aïeul Ramon Eyquem a acheté la terre de Montaigne en 1477.

La formation

L'enfance de Montaigne a été très marquée par la personnalité de son père, humaniste[2] ouvert aux idées nouvelles, excellent administrateur[3] et magistrat très consciencieux. De son père, il reçoit une éducation libérale et moderne. Élevé parmi les paysans, Montaigne s'attache aux gens humbles. Il a pour précepteur un savant allemand avec lequel il s'entretient en latin, comme avec tous ceux qui l'entourent et il ne parlera le français qu'à l'âge de six ans. À partir de 1540, il étudie au collège de Guyenne, à Bordeaux.

La magistrature (1554-1570)

Après des études de droit, Montaigne devient conseiller à la Cour des Aides[4] de Périgueux en 1554, puis conseiller au Parlement[5] de Bordeaux en 1557. C'est là qu'en 1558, il fait la connaissance d'Étienne de La Boétie, qui mourra en 1563. Cette amitié marquera profondément Montaigne.

---

1. La possession de terres, ou l'exercice de fonctions administratives ou judiciaires, permettaient d'acheter des lettres d'anoblissement.
2. L'humaniste, au XVIe siècle, cherche, à partir de la redécouverte de la sagesse antique, à faire progresser l'homme.
3. Il fut élu maire de Bordeaux en 1554.
4. Cette cour de justice jugeait les affaires fiscales.
5. Ces cours de justice (il y en avait huit au XVIe siècle) exerçaient une activité d'administration, de police et de justice.

En 1565, il épouse Françoise de La Chassaigne dont il aura six filles (une seule, Léonor, survivra).

En 1568, son père meurt. Montaigne hérite alors du nom, du château et de la terre de Montaigne. Selon le souhait de son père, il publie en 1569 une traduction de la *Théologie naturelle* de Raimond Sebond, théologien espagnol. En 1570, il se rend à Paris pour y publier les œuvres de La Boétie.

La « retraite » (1570-1580)

En 1571, « dégoûté depuis longtemps déjà de l'esclavage du Parlement et des charges publiques »[1], Montaigne, qui a trente-huit ans, vend sa charge[2] de conseiller et se retire sur ses terres pour se consacrer à l'étude et à la réflexion. Il commence à travailler au livre qui deviendra les *Essais* ; lecteur assidu de Sénèque et Plutarque, il adopte la devise sceptique : « Que sais-je ? ».

À la demande de la Cour royale, Montaigne s'engage, en 1574, dans une des armées catholiques. Puis il est chargé d'une mission diplomatique auprès du Parlement de Bordeaux. Montaigne est au cœur du conflit : catholique, il est attaché au roi Henri III, mais il habite en même temps une région protestante, la Guyenne, gouvernée[3] par Henri de Navarre. Par sa famille aussi, il a des liens avec les deux camps.

En 1577, il ressent les premières atteintes de la gravelle, ou maladie de la pierre[4]. Montaigne trouve le titre de l'œuvre de sa vie : les *Essais*. Il lit César, Plutarque et Sénèque encore, Platon, les poètes latins Lucrèce, Virgile, Horace. En 1580, les deux premiers livres des *Essais* paraissent à Bordeaux.

Les voyages (1580-1581)

En 1580, souffrant de la gravelle, Montaigne décide de partir se soigner par des cures thermales en France, en

---

1. Il fit peindre cette phrase en latin sur les murs de sa « librairie ».
2. Depuis Louis XII, l'État vendait des offices (on les appelait vénaux) permettant d'exercer des fonctions publiques.
3. À l'époque d'Henri III, on compte en France douze gouverneurs (un par province), dont les pouvoirs et l'indépendance échappent quelque peu au contrôle royal.
4. Formation de calculs rénaux qui provoquent de très vives douleurs en se bloquant dans les voies urinaires (coliques néphrétiques).

Allemagne et en Italie. Il souhaite aussi (surtout ?) se distraire et s'instruire. Il passe par Paris où il présente ses *Essais* au roi Henri III, s'arrête à Plombières, Baden, Munich ; il séjourne également à Rome et à Lucques. C'est là qu'en septembre 1581, il apprend qu'il a été élu maire de Bordeaux. Sur l'instance d'Henri III, il accepte ce mandat.

Montaigne dicte et écrit en français, puis en italien, son *Journal de voyage* (édité en 1774) ; il y relate ses observations sur les petits faits de la vie quotidienne en Italie, plus d'ailleurs que sur les splendeurs des monuments.

La vie publique (1581-1585)

Après deux années calmes à la mairie de Bordeaux[1], en 1583, il est réélu et se trouve alors confronté à de nombreuses difficultés. Il joue une nouvelle fois un rôle de médiateur entre le futur Henri IV (Henri de Navarre) et le maréchal de Matignon qui représente le roi Henri III. En 1585, il contrecarre en particulier une offensive sur Bordeaux de la Ligue, association de catholiques qui combat les protestants et vise à limiter le pouvoir royal.

Les dernières années (1586-1592)

Rentré dans son domaine, Montaigne multiplie les ajouts à ses deux premiers livres des *Essais* et écrit un troisième livre. La nouvelle édition de ses *Essais* paraît à Paris en 1588. Lors de son séjour dans la capitale, il est emprisonné quelques heures à la Bastille par les Ligueurs, au cours des troubles qui suivent la journée des Barricades. C'est à Paris qu'il fait la connaissance de Marie le Jars de Gournay, qui deviendra sa « fille d'alliance ».

Montaigne passe les dernières années de sa vie à enrichir et remanier les *Essais*. À sa mort, le 13 septembre 1592, il laisse alors un exemplaire de son œuvre couvert d'additions manuscrites, que l'on appelle l'exemplaire de Bordeaux. Marie de Gournay et le poète Pierre de Brach tiendront compte d'une partie de ces ajouts pour publier une réédition des *Essais* en 1595.

---

1. Montaigne prend des mesures en faveur des enfants trouvés, écrit au roi pour réclamer la gratuité de la justice, une réduction des impôts, et pour protester contre la vénalité des charges.

2 Le contexte historique des Essais

Depuis le début du XVIᵉ siècle, le protestantisme a fait de nombreux adeptes, y compris chez les nobles, dans une France majoritairement catholique. Or, quand François II devient roi, en 1559, la puissante famille catholique des Guises[1], parents de sa femme Marie Stuart, arrive au pouvoir avec lui. Les persécutions contre les protestants s'organisent.

En 1560, François II meurt. Son frère Charles IX lui succède, mais il n'a que dix ans ; c'est donc sa mère, Catherine de Médicis, qui va gouverner. Sa politique de tolérance aboutit à l'édit de janvier 1562, qui autorise les protestants à célébrer leur culte. François de Guise enfreint cet édit : arrivant à Wassy en mars 1562, il fait massacrer les protestants qui sortent de leur lieu de culte. C'est le début des guerres de religion[2].

De 1562 à 1572

Trois guerres civiles se succèdent de 1562 (bataille de Dreux) à 1572. En 1572, Catherine de Médicis marie sa fille Marguerite de Valois à son neveu Henri de Navarre (le futur Henri IV), protestant, qu'elle espère ainsi se concilier. Par ailleurs, elle craint l'influence sur le roi du chef protestant Coligny, avec qui Charles IX est lié. Catherine de Médicis

---

1. Henri de Guise et le duc de Mayenne, enfants de François de Guise, oncle de Marie Stuart, prétendront au trône de France.
2. Parmi les protestants, on compte le roi de Navarre Antoine de Bourbon (père du futur Henri IV), son frère le prince de Condé, et l'amiral de Coligny. Du côté catholique, se trouvent le connétable de Montmorency, et les Guises, soutenus par l'Espagne.

s'allie avec les Guises pour éliminer l'amiral de Coligny avec les principaux chefs protestants, venus à Paris assister au mariage d'Henri de Navarre. C'est le massacre de la Saint-Barthélemy (24 août 1572)[1], qui fait quinze mille victimes.

De 1572 à 1584

Quatre guerres s'ensuivent alors. Les protestants constituent une sorte d'État séparé : ils ont leurs troupes ils tiennent certaines régions, comme la Normandie et le Sud-Ouest, et se soulèvent contre le roi. La Bretagne, le Centre et la Lorraine sont catholiques.

En 1574, le frère de Charles IX, Henri III, devient roi. Il essaie de restaurer l'unité en faisant des concessions aux protestants. Les catholiques ultras s'associent sous la direction de Henri de Guise et constituent la Sainte Ligue, pour combattre les protestants et limiter le pouvoir royal trop favorable aux protestants selon elle.

En 1584, la mort du jeune frère de Henri III, son héritier plonge la France dans une crise dynastique. Le protestant Henri de Navarre, cousin du roi, devient en effet l'héritier du trône. Mais la Ligue veut imposer Henri de Guise.

De 1584 à 1594

Henri de Guise est très populaire à Paris, grâce aux prédicateurs ligueurs. Le 12 mai 1588, il vient dans la capitale, qui se révolte contre Henri III, obligé de fuir à Chartres : c'est la journée des Barricades. Henri III fait alors assassiner son rival, Henri de Guise, à Blois (23 décembre 1588). Il se rapproche d'Henri de Navarre, afin de lutter contre la Ligue et de regagner Paris. Mais la Ligue fait assassiner Henri III le 1er août 1589.

Henri de Navarre accède au trône sous le nom d'Henri IV (1589), mais les ligueurs ne le reconnaissent pas comme

---

1. On s'est étonné de ne voir aucune allusion précise à cette date dans les *Essais*, mais Montaigne comme les modérés choisit de se taire sur ce jour maudit.

roi. Henri IV assiège longtemps Paris, et remporte en province (à Arques, à Ivry) des batailles décisives contre les ligueurs. Il lui faut encore abjurer le protestantisme en 1593 (d'où le célèbre mot que l'on prête à Henri IV : « Paris vaut bien une messe »). Il finit par rallier tous les suffrages en s'opposant au roi d'Espagne qui veut imposer sa fille sur le trône de France. Les ligueurs se soumettent et les Espagnols se résignent. Henri IV est sacré roi le 27 février 1594.

3 Résumé

Avis « Au lecteur » (1580)

Montaigne assure son public de la « bonne foi », de la sincérité de son livre. Destinés à ses proches, ses *Essais* doivent le faire mieux connaître.

▆▆▆▆▆ LIVRE I

I, 1 - Par divers moyens on arrive à pareille fin. Montaigne réfléchit sur la diversité des comportements : comment attendrir « ceux qu'on a offensés » ? Tantôt c'est en leur inspirant la pitié, tantôt en faisant preuve de bravoure.

I, 2 - De la tristesse. La tristesse se manifeste de façon diverse et parfois déroutante. D'ailleurs, toute émotion vive submerge l'âme et l'empêche de s'exprimer.

I, 3 - Nos affections s'emportent au-delà de nous [Nos sentiments nous transportent hors de nous]. L'homme se projette toujours au-delà du présent par crainte, désir ou espoir. Il devrait plutôt, comme Socrate le recommande, chercher à se connaître dans le présent.

I, 4 - Comment l'âme décharge ses passions sur des objets faux, quand les vrais lui défaillent [On a besoin d'exprimer ses émotions, même quand on ne peut s'en prendre à ce qui les a causées]. Une émotion a besoin de s'exprimer (*cf.* I, 2) et saisit n'importe quel prétexte pour le faire.

I, 5 - Si le chef d'une place assiégée doit sortir pour parlementer [Négocier]. Une victoire digne de ce nom ne peut être remportée que dans un combat loyal et courageux. Le gouverneur d'une place forte menacée par une ruse de l'ennemi doit-il sortir pour parlementer ? Exemples et contre-exemples rendent difficile d'établir une règle, mais Montaigne ferait confiance à l'ennemi.

I, 6 - L'heure des parlements [des négociations] est dangereuse. Ce chapitre poursuit l'idée du chapitre précédent : comment faire confiance en temps de guerre ? Certains tuent l'ennemi qui s'avance pour signer la paix. Montaigne entend rester loyal en toutes circonstances.

I, 7 - Que l'intention juge nos actions. Un homme n'est pas toujours maître de ses actes. C'est donc sur ses intentions qu'il faut le juger, non sur les circonstances extérieures.

I, 8 - De l'oisiveté[1]. Pour éviter de vagabonder, l'esprit doit se consacrer à un sujet (*cf.* I, 4). Sans la discipline de l'écriture, Montaigne verrait ses pensées s'éparpiller sans ordre.

I, 9 - Des menteurs. Mentir exige d'avoir de la mémoire, car il faut pouvoir se rappeler ses mensonges. Montaigne, lui, manque de mémoire. Il n'en souffre pas : sans mémoire, il est obligé de raisonner. En outre, il pardonne volontiers les offenses (il les oublie !) et il évite le mensonge, qui pervertit la communication entre les hommes.

I, 10 - Du parler prompt ou tardif [la prise de parole spontanée ou préméditée]. Montaigne réfléchit aux rapports entre la parole et le jugement. Certains orateurs, tels que les avocats, savent improviser ; au contraire, les prédicateurs ont besoin d'une préparation. Mais la spontanéité peut se révéler fructueuse.

I, 11 - Des pronostications [prophéties]. Une nouvelle fois (*cf.* I, 3), Montaigne s'étonne que les hommes s'intéressent plus au futur qu'au présent, et soient avides de prophéties habilement obscures.

I, 12 - De la constance. Faire preuve de constance ne signifie pas s'exposer aux maux, mais supporter ceux que l'on ne peut éviter.

I, 13 - Cérémonie de l'entrevue des rois. Est-il plus courtois d'attendre un souverain chez soi, ou d'aller à sa rencontre ?

---

1. Au sens latin d' « abandon des affaires publiques au profit de l'étude ».

Montaigne, peu soucieux des « cérémonies », se plaît à montrer la fragilité et la relativité des codes.

I, 14 - Que le goût [l'appréciation] des biens et des maux dépend en bonne partie de l'opinion que nous en avons. Il n'existe pas de définition absolue du mal. Pour certains, il est lié à la souffrance, pour d'autres, à la pauvreté. Seuls sont heureux ceux qui sont persuadés de l'être (*cf.* I, 3).

I, 15 - On est puni pour s'opiniâtrer à une place sans raison [Quand on s'obstine à défendre une place forte]. Au-delà de certaines limites, une vertu devient vice. Ont ainsi été châtiés ceux qui se sont obstinés à défendre une place militaire contre des ennemis trop nombreux.

I, 16 - De la punition de la couardise. Une action se juge à son intention (*cf.* I, 7) : le lâche par faiblesse est humilié, mais on tue celui qui est lâche par méchanceté.

I, 17 - Un trait de quelques ambassadeurs. Les hommes cherchent à se faire valoir hors de leur domaine de compétence, au lieu de parler de ce qu'ils connaissent. Les ambassadeurs et les témoins ne devraient rapporter que ce qu'ils ont vu ou entendu (*cf.* I, 9). Mais peut-être n'est-ce pas possible !

I, 18 - De la peur. Si la panique paralyse certains individus, elle en incite d'autres à l'action, et engendre parfois les actes les plus insensés.

I, 19 - Qu'il ne faut juger de notre heur [bonheur] qu'après la mort. La mort est le moment de la vérité, au point même que certains se sont rachetés, par leur mort, d'une vie coupable.

I, 20 - Que philosopher, c'est apprendre à mourir[1]. Comment les hommes, qui recherchent avant tout le plaisir, peuvent-ils vivre en sachant que « le but de notre carrière, c'est la mort » ? Peut-être la vie se mesure-t-elle moins à sa durée qu'à l'usage qu'on en fait.

I, 21 - De la force de l'imagination. C'est par le pouvoir de l'imagination que Montaigne explique la croyance aux

---

1. Ce titre est emprunté à Cicéron.

miracles et aux visions, surtout chez les gens du peuple. De nombreux remèdes agissent aussi grâce à l'imagination, qui guérit le corps en influant sur l'esprit.

I, 22 - Le profit de l'un est dommage de l'autre. Peut-on blâmer quelqu'un de faire son profit grâce au malheur d'autrui ? C'est la loi même du gain : le médecin vit de la maladie de ses patients, et l'agriculteur de la cherté du blé.

I, 23 - De la coutume [les habitudes, mais aussi les façons d'agir établies par l'usage et ayant force de lois] et de ne changer aisément une loi reçue. Montaigne dénonce d'abord la force des habitudes : peu à peu, elles s'insinuent en nous où elles deviennent une seconde nature, capable de contrecarrer nos tendances spontanées. L'âme humaine est d'ailleurs modelée par des habitudes, comme en témoigne la diversité des mœurs et des usages d'un pays à l'autre. La force de la coutume va jusqu'à imposer aux gens de respecter des lois dont ils ne comprennent pas la langue[1].

Cependant, et malgré ces absurdités, il faut respecter les lois de son pays, ce qui n'empêche pas le sage de juger librement des choses.

I, 24 - Divers événements de même conseil [La même intention produit des actes différents]. Montaigne examine ici quelques exemples de clémence (*cf.* I, 1), et leurs conséquences opposées. Il en déduit que la prudence humaine ne peut rien contre le hasard qui gouverne les événements. Le hasard entre même dans la création poétique et dans l'inspiration des artistes, si bien qu'un lecteur découvre dans un texte des grâces auxquelles l'auteur n'avait pas songé.

I, 25 - Du pédantisme. Un pédant admire les savants qui l'ont précédé au point de ne pas penser par lui-même. Or, l'idéal consiste à atteindre la sagesse.

L'enseignement ne doit pas « meubler la tête de science », mais exercer plutôt l'esprit critique de l'enfant et l'inciter à une conduite morale.

I, 26 - De l'institution [éducation] des enfants. Les problèmes pédagogiques restent au centre de ce chapitre.

---

1. Dans le droit romain, qui prévalait au sud de la Loire, les lois étaient rédigées en latin.

Éduquer un enfant, c'est d'abord l'habituer à faire le bien. Cela requiert un précepteur qui ait « plutôt la tête bien faite que bien pleine », plus de sens critique et moral que de science.

Tout peut servir d'étude, en particulier la communication avec d'autres et la visite des pays étrangers. Ainsi l'enfant apprendra à observer et écouter, à respecter la vérité où qu'elle se trouve, et il connaîtra la relativité des valeurs et des jugements.

Plutôt que dorloter un enfant, il faut lui apprendre à s'aguerrir. Mais il est vain de le punir. L'essentiel, dans l'éducation, est donc de susciter le désir de l'élève. Sinon, on ne fait que « charger un âne ».

I, 27 - C'est folie de rapporter le vrai et le faux à notre suffisance [de prendre notre faculté de juger pour référence du vrai et du faux]. Si la crédulité est une forme d'ignorance, l'incrédulité est présomptueuse : en condamnant ce qui leur paraît invraisemblable, l'incrédule, au lieu de reconnaître sa faiblesse, fixe implicitement des limites à la puissance de Dieu.

I, 28 - De l'amitié. L'amitié qui unissait Montaigne à Étienne de La Boétie n'a rien à voir avec les autres relations familiales ou amoureuses. L'amitié seule constitue une communication parfaite entre deux individus qui se sont librement choisis. Telle est la rencontre entre Montaigne et La Boétie : « Parce que c'était lui, parce que c'était moi. » Chacun connaissait si parfaitement l'autre qu'il pouvait expliquer la moindre de ses actions. Depuis la mort de La Boétie, Montaigne ne vit plus qu'à moitié. Il voulait publier le *Discours de la servitude volontaire* au centre de son premier livre. Mais il y a renoncé[1].

I, 29 - Vingt-neuf sonnets d'Étienne de La Boétie. Avant 1588, Montaigne publiait ici vingt-neuf sonnets de La Boétie. Il les a fait disparaître, et ce chapitre n'est plus qu'une place vide.

---

1. La Boétie dénonçait la tyrannie en rappelant que tout pouvoir doit s'appuyer sur le consentement des sujets. Mais les protestants ont publié (en 1574) son livre comme un encouragement au tyrannicide.

I, 30 - De la modération. Partisan de la modération en toutes choses, Montaigne rappelle (*cf.* I, 15) qu'une vertu devient vice si on la pratique avec excès.

I, 31 - Des cannibales. La découverte de nouvelles contrées souligne la relativité des jugements de valeur. Les hommes rejettent facilement ce qui ne correspond pas à leurs mœurs. L'on a ainsi imprudemment appelé « barbares cannibales » les habitants du Brésil, qui ne connaissent ni lettres, ni sciences, mais qui ignorent aussi les vices.

Venus visiter la France, trois Brésiliens y ont été choqués par l'inégalité des conditions.

I, 32 - Qu'il faut sobrement se mêler de juger des ordonnances [desseins] divines. Ceux qui cherchent à deviner les desseins de Dieu sont des imposteurs qui tablent sur l'ignorance et la crédulité des hommes (*cf.* I, 27).

I, 33 - De fuir les voluptés au prix de la vie [en s'ôtant la vie]. À une vie de plaisirs, certains païens ont préféré la mort.

I, 34 - La fortune se rencontre souvent au train de la raison [Le hasard va souvent de pair avec la raison]. Le hasard transforme les desseins des hommes, les rectifie, ou les soutient (*cf.* I, 24).

I, 35 - D'un défaut de nos polices [À propos d'une lacune dans nos sociétés]. Montaigne reprend ici une idée de son père, qui avait pensé créer une sorte de bourse d'échanges où puissent se rencontrer directement vendeurs et acquéreurs.

I, 36 - De l'usage de se vêtir. La force des coutumes s'observe partout, en particulier dans l'usage de vêtements auxquels la nature ne nous oblige pas. D'autant que les vêtements ne protègent pas toujours du froid ni de l'indécence.

I, 37 - Du jeune Caton[1]**.** Faute de trouver dans l'actualité des exemples de vraie vertu, et de savoir juger autrui sans

---

1. Homme politique du Ier siècle av. J.-C., Caton d'Utique défendait avec ferveur la République romaine. Du parti de Pompée, il se suicida, en stoïcien farouche, quand César fut devenu souverain absolu.

partialité, on a terni certaines belles actions d'autrefois. Caton n'est pas mort par crainte de César, mais pour ne pas survivre à la République, qu'il savait perdue.

I, 38 - Comment nous pleurons et rions d'une même chose. Un vainqueur peut pleurer la mort de celui qu'il a vaincu. Les âmes sont animées d'émotions diverses : se réjouir de s'être vengé n'empêche pas de regretter le mal qu'on a causé.

I, 39 - De la solitude. Certains prétendent que les hommes sont nés pour vivre en société. Ils y cherchent surtout leur profit personnel. Il faut savoir rentrer en soi-même au beau milieu de la foule, se détacher de tout et se contenter de soi-même (« être à soi ») pour être vraiment libre.

I, 40 - Considération sur Cicéron. En comparant différents philosophes, Montaigne prolonge la réflexion du chapitre précédent sur l'ambition et reproche en particulier à Cicéron sa vanité d'orateur. Loin d'être un orateur, Montaigne se contente de jeter ses idées sans les développer.

I, 41 - De ne communiquer sa gloire [Ne pas partager sa gloire]. Ce chapitre appartient encore aux considérations sur la vie sociale. Presque tous les hommes se soucient de leur réputation au point parfois de mépriser les autres biens de l'existence. Peu sont prêts à laisser un autre profiter de leur propre gloire.

I, 42 - De l'inégalité qui est entre nous. Alors qu'on sait apprécier les qualités d'un animal, on est le plus souvent incapable de discerner la sagesse d'un homme. Or, elle seule distingue les individus, et un roi n'en a pas plus qu'un autre homme.

De plus, la fortune ne suffit pas à rendre heureux, car bien des plaisirs sont gâchés par une vie trop facile. Enfin, chez un prince, les moindres fautes sont appelées tyrannie. Les privilèges des grands sont surtout imaginaires.

I, 43 - Des lois somptuaires [Sur les dépenses de luxe][1]. Les lois somptuaires, qui règlent le port des vêtements

---

1. Du XIIIe au XVIe siècle, des ordonnances royales contre le luxe ne permettaient qu'aux princes le port de certaines étoffes. Périodiquement renouvelées, ces lois étaient peu suivies.

suivant le rang social des personnes, sont inappropriées à leur finalité, selon Montaigne. En réservant le luxe à quelques privilégiés, elles le font envier au lieu d'en inspirer le mépris. Les princes ne peuvent-ils pas, d'ailleurs, se distinguer autrement que par le luxe ?

I, 44 - Du dormir. Le sommeil n'est pas incompatible avec le courage. De nombreux grands hommes de l'Antiquité ont dormi avant ou après un grand combat.

I, 45 - De la bataille de Dreux. Évoquant sans prendre parti l'événement contemporain de la bataille de Dreux[1], Montaigne réfléchit à un problème de tactique militaire : il faut parfois sacrifier une partie de ses troupes pour l'emporter finalement.

I, 46 - Des noms. On a tort d'attacher tant de prix aux noms propres : l'identité de chacun ne lui vient pas de son nom.

I, 47 - De l'incertitude de notre jugement. Toutes les attitudes peuvent s'expliquer, constate Montaigne. Armer somptueusement ses soldats peut stimuler leur ardeur au combat, mais aussi les en divertir par le souci qu'ils auront d'eux-mêmes. En réalité, l'issue des événements et la plupart de nos décisions dépendent surtout du hasard.

I, 48 - Des destriers. Montaigne consacre ce chapitre à l'importance des chevaux dans l'Histoire.

I, 49 - Des coutumes anciennes. Chaque peuple juge des autres d'après ses mœurs, pourtant relatives (*cf.* I, 23 et I, 31). En témoignent les caprices de la mode, les variations des règles d'hygiène, de civilité ou de goût.

I, 50 - De Démocrite[2] et Héraclite[3]. Tous les sujets de réflexion sont bons pour Montaigne, car, humbles ou

---

1. La bataille de Dreux eut lieu le 19 décembre 1562, au début des guerres de Religion. Le catholique François de Guise y vainquit les protestants conduits par le prince de Condé et l'amiral de Coligny.
2. Philosophe grec du Ve siècle av. J.-C., Démocrite a donné la première explication physique de l'univers qui exclut l'intervention des dieux. Sa morale préconise la modération dans les désirs.
3. Philosophe grec du VIe siècle av. J.-C., misanthrope, Héraclite vivait en solitaire. Pour lui, le monde est en perpétuel changement et la raison trompe l'homme autant qu'elle lui rend service.

grandes, toutes les occupations d'un homme le donnent à connaître. La condition humaine attristait ainsi Héraclite. Démocrite, lui, s'en moquait : c'est tout ce qu'elle mérite.

I, 51 - De la vanité des paroles. La rhétorique[1] est une science vaine : elle farde les actes, mais ne les change pas.

I, 52 - De la parcimonie des Anciens. Montaigne évoque ici l'extrême frugalité dans laquelle ont vécu de grands hommes comme Homère ou Caton.

I, 53 - D'un mot de César. Au lieu de chercher à comprendre les choses simples, l'esprit humain s'évertue hélas à découvrir ce qui lui échappe . César s'en étonnait déjà.

I, 54 - Des vaines subtilités. Montaigne revient ici sur la vanité de la rhétorique[2]. À la recherche de la complication ou de la rareté, il oppose l'action efficace.

I, 55 - Des senteurs. Les odeurs influent sur notre humeur : la médecine et la religion devraient en tirer profit.

I, 56 - Des prières. Après avoir prudemment affirmé son obédience à l'Église catholique, Montaigne envisage la relation de l'homme à Dieu qu'établit la prière. Elle devrait surtout être un acte de contrition[3]. Que les hommes évitent donc de s'en servir comme d'une formule magique, et se rappellent que Dieu est sans commune mesure avec eux.

I, 57 - De l'âge. Au lieu de reculer le début de la vieillesse[4], on devrait laisser plus tôt les jeunes gens agir librement, car les grandes choses s'accomplissent souvent avant trente ans.

---

1. La rhétorique est l'art de la mise en œuvre des moyens d'expression.
2. Voir note 1.
3. C'est l'expression, dans la religion chrétienne, de la douleur sincère d'avoir offensé Dieu par ses péchés.
4. Pour les médecins, la vieillesse se divisait en deux étapes : une première, de 35 à 49 ans, et une seconde, comportant encore trois stades, dont le dernier est celui de la décrépitude physique. Pour les astrologues, la vieillesse (qui va de 56 à 68 ans) est le sixième des sept âges qui constituent la vie d'un homme. Le septième âge (« caduc et décrépit ») va de 68 à 88 ans.

II, 1 - De l'inconstance de nos actions. Montaigne commence son deuxième livre par une idée à laquelle il tient particulièrement : l'inconstance humaine. Les hommes agissent très diversement, selon les instants et les circonstances, ce qui les rend difficiles à juger.

II, 2 - De l'ivrognerie. Contrairement aux Anciens, Montaigne réprouve l'ivrognerie parce qu'elle anéantit l'esprit en même temps que le corps.

II, 3 - Coutume de l'île de Céa[1]. Montaigne, qui se veut soumis à l'autorité religieuse, débat ici du suicide. Le choix du moment de la mort revient-il à Dieu seul ? Certes, continuer à vivre est souvent plus vertueux que de se donner la mort. Mais certaines morts choisies en pleine conscience témoignent aussi d'un courage exceptionnel. Ne peut-on comprendre que quelqu'un se tue pour se délivrer d'une souffrance intolérable, ou d'une vie pire que la mort ?

II, 4 - À demain les affaires. Il faudrait se sentir libre de différer certaines affaires, au lieu d'en être esclave.

II, 5 - De la conscience. Montaigne examine la force de la conscience morale, qui amène l'homme à se punir soi-même. À partir de là, il s'interroge sur la procédure, fréquente à son époque, de la torture judiciaire[2].

Les juges pensent que la bonne conscience de l'innocent le fortifie contre la torture. En réalité, la torture éprouve surtout la résistance à la douleur, qu'accroît l'enjeu de l'aveu. Un coupable qui se tait sous la torture sauve sa tête d'une mort certaine.

La pratique judiciaire de la torture fait donc souffrir l'innocent doublement : elle lui fait avouer n'importe quoi et elle s'en prévaut ensuite pour le condamner à mort.

---

1. Aujourd'hui, île Zéa, dans la mer Égée.
2. La pratique de la torture par les tribunaux fut rendue officielle en France par l'édit de Villers-Cotterêts, en 1539, et se poursuivit malgré son abolition en 1580. Encore appelée « question » ou « géhenne », elle intervenait pour arracher l'aveu (torture préalable), et pour punir le criminel, après son aveu.

II, 6 - De l'exercitation [exercice, entraînement]. Comment faire l'expérience de la mort ? Le sommeil, qui prive l'homme de tout sentiment, et plus encore l'évanouissement sont assez proches de la mort[1].

Blessé dans un accident de cheval, Montaigne s'est rendu compte que les mourants ne sont pas « fort à plaindre » car, ayant l'âme aussi affaiblie que le corps, ils n'ont pas conscience de leur « misère ».

Pour apprendre à vivre — et à mourir —, il faut se connaître. Or, l'écriture constitue un instrument d'analyse privilégié.

II, 7 - Des récompenses d'honneur. Il importe que les récompenses dont on honore les grands hommes ne soient pas galvaudées par une distribution excessive.

II, 8 - De l'affection des pères aux enfants. L'affection que les parents témoignent à leurs enfants devrait augmenter au fur et à mesure que ceux-ci grandissent et deviennent des êtres raisonnables. Et il serait bon que les pères soutiennent leurs enfants en ne faisant pas attendre leur héritage.

Montaigne recommande aux hommes de ne se marier que vers trente-cinq ans. Leur différence d'âge avec leurs enfants garantira le respect et l'affection mutuels.

Mais, en aimant nos enfants, nous oublions, dit Montaigne, que leur valeur est moins la nôtre que la leur. Nous devrions aimer davantage les productions de notre esprit, qui sont plus nôtres, comme les livres que nous écrivons.

II, 9 - Des armes des Parthes[2]. Les Anciens se fiaient plus à leur courage qu'à leurs armes pour combattre. Aujourd'hui, on manque de courage même pour prendre les armes.

II, 10 - Des livres. Avant d'évoquer ses pratiques de lecture et ses auteurs préférés, Montaigne décrit le lecteur qu'il souhaite avoir pour ses *Essais*. Lui-même ne lit que par plaisir et dans le but de mieux se connaître.

Ses poètes préférés sont ceux qui évitent l'affectation, tels que Virgile, Lucrèce, Catulle et Horace. Il apprécie encore la

---

1. « Pour s'apprivoiser à la mort, je trouve qu'il n'y a que de s'en avoisiner. »
2. Les Parthes étaient, dans l'Antiquité, un peuple d'origine iranienne, dont l'organisation sociale reposait sur la prééminence d'une aristocratie guerrière.

concision de Plutarque et de Sénèque. Chez les historiens, il aime surtout ceux qui ont participé aux faits qu'ils relatent, et ceux qui s'intéressent plus à la vie intérieure des hommes qu'aux événements.

II, 11 - De la cruauté. Comment définir la valeur morale ? Pour les Stoïciens[1] et les Épicuriens[2], est vertueux celui qui lutte contre ses instincts. D'autres prennent pour modèle Socrate, qui agit selon la raison. Montaigne lui-même se reconnaît une vertu naturelle, une « innocence », une sensibilité qui lui fait haïr spontanément la plupart des vices, en particulier la cruauté.

La torture lui semble une pratique barbare (*cf.* II, 5), plus redoutable que la peine capitale, et peu efficace. Il réprouve encore la cruauté de la chasse : pourquoi l'homme fait-il souffrir des animaux, qui sont comme lui des créatures sensibles ?

II, 12 - Apologie [éloge] de Raimond Sebond. Ce chapitre est, de loin, le plus long des *Essais* (il en représente le septième). Il traite de l'opposition de la foi et de la raison, et surtout de la faiblesse de la science.

Montaigne a traduit du latin *La Théologie naturelle* que son père avait reçue d'un théologien[3] espagnol, Raimond Sebond. Sebond cherchait à démontrer par la raison les vérités de la religion.

Montaigne, qui prétend défendre la pensée de Sebond, va en réalité la contredire en ruinant la raison humaine. Faible et sans défense, l'homme se montre pourtant la créature la plus orgueilleuse de l'univers. Or, en quoi est-il même supérieur aux animaux ? Par leurs mœurs, par leur faculté d'imaginer, les bêtes ressemblent aux hommes et peuvent leur en remontrer.

Les hommes se targuent de posséder la connaissance. Mais les simples et les ignorants sont souvent plus honnêtes et plus heureux que les savants.

---

1. Les Stoïciens considèrent que le bonheur est dans la vertu, et ils veulent rester indifférents à la souffrance.
2. Philosophe grec du IVe siècle av. J.-C., Épicure considérait que le plaisir est le souverain bien. Ce plaisir consistait dans la culture de l'esprit et la pratique de la vertu.
3. Un théologien étudie les questions religieuses à partir des textes sacrés et des dogmes.

Montaigne passe alors en revue les principales écoles philosophiques : les Stoïciens et les Épicuriens croient avoir trouvé la vérité, les Académiciens[1] désespèrent de la découvrir, les Pyrrhoniens[2], enfin, continuent à la chercher, tout en confessant leur ignorance. Telle est l'attitude que Montaigne adopte.

Montaigne donne ensuite des exemples de l'ignorance humaine. Depuis l'Antiquité, les philosophes ont essayé de concevoir Dieu, mais ils se contredisent et révèlent surtout leur anthropocentrisme[3]. Ils n'arrivent pas davantage à définir l'âme, ou à connaître le corps. Incapable d'atteindre la vérité, l'homme ne la trouve que par hasard ou par la grâce de Dieu.

Les sensations même sont instables, et selon les moments, on perçoit les choses différemment : « Si ma santé me rit [...], me voilà honnête homme, si j'ai un cor qui me presse l'orteil, me voilà renfrogné. » Qu'est-ce que le bien suprême : la vertu ou le plaisir ? La diversité des coutumes et des lois témoigne encore de l'instabilité de la raison, impuissante à déterminer la loi morale. Les sens enfin sont incertains, et ils se laissent encore abuser par l'imagination, comme dans le phénomène du vertige[4].

Pour conclure ce long chapitre, Montaigne affirme que la grâce de la foi doit compenser l'insuffisance de la raison. L'homme ne pourra s'élever que si Dieu lui apporte son aide.

II, 13 - De juger de la mort d'autrui. Comment juger de la mort d'un être (*cf.* I, 7 ; I, 14 ; I, 20 ; II, 6), alors qu'il ne se sait pas arrivé à sa dernière heure ?

II, 14 - Comme notre esprit s'empêche soi-même [se gêne lui-même]. À quoi tient la décision que l'on prend quand on

---

1. La Nouvelle Académie fut fondée par le Grec Arcésilas (IIIe siècle av. J.-C.), pour qui il n'y a pas de vérité, mais des opinions plus ou moins probables.
2. Philosophe grec du IVe siècle av. J.-C., Pyrrhon est considéré comme le fondateur du scepticisme, ou pyrrhonisme, philosophie du doute.
3. L'anthropocentrisme est une manière d'imaginer Dieu à la ressemblance de l'homme.
4. Montaigne donne l'exemple suivant : le plus grand philosophe n'oserait marcher sur une large poutre qui relierait les deux tours de Notre-Dame.

hésite entre deux possibilités équivalentes ? C'est une impulsion irrationnelle qui amène l'homme à choisir, disent les Stoïciens. Montaigne pense plutôt que, dans une alternative, les deux possibilités ne sont jamais parfaitement identiques.

II, 15 - Que notre désir s'accroît par la malaisance [par la difficulté de le réaliser). Pour certains, la perspective de la mort dégoûte de la vie. Montaigne au contraire trouve qu'elle lui donne son prix. On n'apprécie que ce qu'on goûte rarement.

II, 16 - De la gloire [L'honneur]. Pourquoi les hommes cherchent-ils à acquérir une gloire qui dépend du hasard ou de l'approbation d'une foule ignorante ?

Le seul honneur dont on puisse se targuer, c'est d'avoir vécu sereinement. C'est pourquoi Montaigne se défie de l'approbation d'autrui qui ne voit que l'apparence. Lui seul est en mesure de se connaître et de se juger.

II, 17 - De la présomption [opinion trop avantageuse que l'on a de soi-même]. Autre forme de l'orgueil, la présomption conduit chaque individu à se préférer aux autres. Montaigne, au contraire, incline à surestimer autrui. Mais, se prendre pour sujet d'étude, n'est-ce pas présomptueux ? Loin de se vanter, Montaigne aurait plutôt tendance à se déprécier : à côté des productions des Anciens, c'est-à-dire des Grecs et des Romains, rien de ce qu'il a écrit ne lui plaît vraiment.

Du point de vue physique, il ne se trouve guère de qualités. Dépourvu d'ambition et de mémoire, il a horreur du mensonge et besoin de liberté. De son livre, il n'attend pas de gloire, d'autant moins qu'il n'est pas sûr d'être lu comme il le souhaite. Montaigne a pourtant rencontré une lectrice qui l'a compris, Marie de Gournay[1], et qu'il considère comme sa fille spirituelle.

II, 18 - Du démentir [mentir et se démentir, se dédire]. Montaigne enchaîne ce chapitre au précédent en se justifiant

---

1. Il l'a rencontrée en 1588 à Paris où elle est venue lui témoigner son admiration de lectrice des *Essais*. Il répond à son affection et la nomme sa « fille d'alliance ». Avec Pierre Brach, Marie de Gournay publiera l'édition posthume des *Essais* (1595).

d'écrire sur soi. Il ne vise pas la postérité, mais ses proches. Même s'il ne devait pas être lu, écrire sur soi l'a contraint à corriger ses défauts.

II, 19 - De la liberté de conscience. Montaigne s'exprime ici (ce qui est rare) sur un problème politique qui se pose avec acuité au moment où il écrit son livre[1] : la liberté de conscience avive-t-elle ou apaise-t-elle les dissensions ?

Des convictions trop affirmées peuvent produire des catastrophes. Montaigne regrette ainsi l'intolérance des débuts du christianisme, et il fait l'éloge de l'empereur Julien l'Apostat[2]. Cet homme juste n'a pas persécuté les chrétiens. Il croyait à l'immortalité de l'âme et il est mort avec courage. C'est une erreur de l'appeler « apostat » : il n'a pu renoncer au christianisme, puisqu'il ne l'avait jamais embrassé.

II, 20 - Nous ne goûtons rien de pur. Tous les plaisirs sont mêlés de quelque souffrance, de même que les lois ne peuvent « subsister sans quelque mélange d'injustice », et l'homme aussi est une créature bigarrée.

II, 21 - Contre la fainéantise. Bien des empereurs romains ont estimé la fainéantise incompatible avec leur devoir de dirigeants : ils conduisaient eux-mêmes leurs batailles et mouraient debout.

II, 22 - Des postes. Dans ce bref chapitre, Montaigne envisage les divers moyens dont se sont servis les princes de l'Antiquité pour faire porter leur courrier.

II, 23 - Des mauvais moyens employés à bonne fin. Comme les individus, les États sont sujets aux maladies et au vieillissement ; et ils se guérissent en se purgeant. La colonisation a ainsi offert aux Romains un débouché pour leur population trop nombreuse, et les guerres ont détourné les

---

1. Les protestants ne cessaient de réclamer la liberté de culte, et quand un édit la leur accordait (en 1562, 1570, 1576), les catholiques la remettaient en cause. Ce n'est qu'en 1598 (édit de Nantes) que s'établit en France une véritable politique de tolérance religieuse.
2. Après avoir accepté le christianisme, Julien l'Apostat (empereur à Rome de 361 à 363) favorisa la renaissance du paganisme (d'où son surnom ; être apostat, c'est renier la foi chrétienne).

citoyens de l'oisiveté et des complots contre le pouvoir. La faiblesse de l'homme lui fait ainsi utiliser de mauvais moyens pour une bonne fin.

II, 24 - De la grandeur romaine. Les Romains avaient coutume de laisser leurs royaumes aux rois qu'ils avaient vaincus. En comparaison, Montaigne juge déplorable le comportement de ses contemporains.

II, 25 - De ne contrefaire le malade. À feindre d'être malades pour se délivrer d'une tâche, certains finissent par tomber vraiment malades.

II, 26 - Des pouces. À Rome, le public levait ou baissait les pouces pour signifier qu'il appréciait, ou non, les combattants dans l'arène. Bien d'autres coutumes attestent encore l'importance des pouces.

II, 27 - Couardise mère de la cruauté. Cruauté (*cf.* II, 5 et II, 11) et lâcheté caractérisent pour Montaigne son époque. Elles engendrent le duel[1], dont il réprouve à la fois le principe (ses contemporains s'affrontent en duel à la moindre peccadille) et la pratique (outre la vie des offensés, le duel met en jeu les tiers qui leur servent de témoins). Et au lieu de se battre, comme autrefois, pour le bien public, on ne cherche aujourd'hui qu'à défendre ses intérêts.

C'est par lâcheté que l'on se montre cruel, et cela vaut aussi pour les tyrans qui aiment faire durer la mort qu'ils infligent, et pour les juges qui pratiquent la torture.

II, 28 - Toutes choses ont leur saison [Il y a un temps pour chaque chose]. Dans ce chapitre, Montaigne entend réserver un temps pour chaque âge : la jeunesse pour l'apprentissage, la vieillesse pour se défaire de ce que l'on possède.

II, 29 - De la vertu. Il importe de ne pas confondre un élan exceptionnel de l'âme avec son allure habituelle. Et, pour juger un homme, il faut plutôt considérer son comportement au jour le jour, car on peut se montrer courageux par choix, mais aussi par hasard.

---

1. Malgré son interdiction par Henri II (en 1547), le duel pouvait être autorisé par certains hauts dignitaires.

II, 30 - D'un enfant monstrueux. Tel enfant qui présente des malformations est dit « monstrueux ». Mais peut-être l'ordre divin échappe-t-il aux hommes.

II, 31 - De la colère. Alors qu'on condamne la colère d'un juge, on admet celle d'un père quand il corrige son enfant. Or la colère, emportant hors de soi celui qu'elle anime, rend injustes les châtiments qu'inflige le coléreux.

II, 32 - Défense de Sénèque et de Plutarque. Montaigne consacre ce chapitre à ces deux auteurs qu'il relit sans cesse (*cf.* II, 10). Il défend Sénèque contre les critiques de certains historiens. Il prend également le parti de Plutarque accusé de rapporter des récits invraisemblables ; le courage peut en effet dépasser les bornes de la vraisemblance et de l'entendement humain.

II, 33 - L'histoire de Spurina. Si la raison doit tâcher de dominer la force des instincts, cela ne doit pas conduire à la haine de soi. Un jeune homme, nommé Spurina, se défigura parce qu'il craignait de succomber aux désirs que sa beauté excitait chez les autres. Il eût mieux agi en augmentant sa beauté physique par la beauté de sa conduite morale. Montaigne, de plus, préfère la modération à l'excès.

II, 34 - Observations sur les moyens de faire la guerre de Jules César. Tout homme de guerre devrait prendre exemple sur César : de ses soldats il n'exigeait que la vaillance et il ne punissait que la désobéissance.

II, 35 - De trois bonnes femmes [Femmes d'exception]. Alors que beaucoup se contentent de pleurer la mort d'un mari qu'elles n'ont pas su aimer de son vivant, ces femmes ont poussé le courage jusqu'à mourir avec celui qu'elles aimaient.

II, 36 - Des plus excellents hommes. Ce chapitre classe au rang des hommes d'exception Homère, Alexandre le conquérant et Épaminondas[1] qui chercha à imposer Thèbes contre Sparte.

---

1. Épaminondas était un général originaire de Béotie, une province grecque dont la capitale était Thèbes. Grâce à lui, Sparte, qui incarnait le despotisme, fut vaincue par Thèbes (370 av. J.-C.).

Pauvre et aveugle, Homère est le premier poète. Sans modèle, il a su inventer un langage vigoureux. Alexandre le Grand s'est, quant à lui, rendu maître du monde en une demi-vie. Épaminondas, enfin, se gouverna selon la raison plus qu'il ne rechercha la gloire. De mœurs exemplaires, il restait humain devant l'ennemi.

II, 37 - De la ressemblance des enfants aux pères. Dans ce chapitre qui concluait la première édition des *Essais*[1], Montaigne revient sur l'élaboration de son livre. La maladie de la pierre, qu'il a héritée de son père, est un trait de « la ressemblance des enfants aux pères ». Elle a changé quelque peu son existence en le mettant à l'épreuve, et elle lui permet de s'acheminer vers la mort.

Essentielle au bien-être, la santé doit être protégée, y compris contre l'intervention des médecins qui peuvent la gâcher : « Nature nous gouverne mieux qu'eux. »

■■■■ LIVRE III

Dans ce troisième et dernier livre, les chapitres sont beaucoup moins nombreux, mais beaucoup plus longs que dans les deux précédents. Devenu maire de Bordeaux, Montaigne va s'interroger davantage sur le problème des responsabilités politiques.

III, 1 - De l'utile et de l'honnête. Ce qui est politiquement efficace n'est pas forcément honnête[2] : « Le bien public requiert qu'on trahisse et qu'on mente et qu'on massacre. » C'est pourquoi Montaigne préfère se tenir éloigné des affaires publiques. En revanche, entre particuliers, l'honnêteté doit prévaloir. À la fin du chapitre, Montaigne revient cependant, avec l'exemple du vertueux Épaminondas, sur la nécessité d'une morale dans le domaine politique.

III, 2 - Du repentir. De la peinture de son cas particulier, Montaigne souhaite dégager une vérité morale qui a une valeur

---

1. Voir plus loin, p. 37.
2. C'est une des idées majeures de Machiavel dans son livre *Le Prince* (1513).

universelle. En effet, chaque homme est un échantillon représentatif du genre humain dans son ensemble[1].

Montaigne réfléchit ensuite à un problème moral : c'est la conscience de chacun qui, par le repentir, reconnaît les fautes commises. Car nul ne se connaît aussi bien que soi-même, et connaître quelqu'un d'autre exige de l'observer longtemps (*cf.* II, 29).

Un homme peut se repentir d'un péché commis une fois. Mais il n'éprouve pas de repentir réel s'il retombe toujours dans les mêmes erreurs. On ne saurait, de plus, se repentir de n'être pas parfait ; on ne peut que le regretter.

III, 3 - De trois commerces [À propos de trois sortes de relations avec autrui]. Montaigne sait apprécier la fréquentation des hommes honnêtes avec qui l'on peut parler de tout et qui aiment également la vertu et le plaisir.

Il se plaît encore en compagnie de jolies femmes, mais il a besoin de loyauté dans la relation amoureuse : il n'y a pas de vrai plaisir dans le calcul et le mensonge.

Alors que ces deux « commerces » dépendent d'autrui et du hasard, celui des livres est le meilleur secours qu'on puisse trouver dans l'existence (*cf.* II, 10). Ils distraient des tourments et réchauffent par leur seule présence.

III, 4 - De la diversion [L'art de détourner l'esprit d'une affliction]. Consoler est une tâche délicate : faut-il plaindre l'affligé, ou le détourner de sa tristesse ? Faire diversion s'avère souvent une méthode efficace. D'infimes détails suffisent d'ailleurs à divertir l'esprit, preuve de l'instabilité de la nature humaine.

III, 5 - Sur des vers de Virgile. L'imagination et la poésie amoureuse divertissent Montaigne de la tristesse qu'engendre en lui la vieillesse.

Il réfléchit au mariage et à la sexualité. On se marie souvent non par choix mais pour obéir aux usages. La sexualité n'a pas sa place dans le mariage, ni même dans le langage courant, au point que l'on n'ose évoquer l'acte naturel qui nous fait exister. Des relations entre hommes et femmes, Montaigne bannit la jalousie et la crainte d'être trompé. Il loue

---

1. « Chaque homme porte la forme entière de l'humaine condition. »

les femmes qui se laissent courtiser longtemps : la seule règle en amour, c'est de « savoir prendre son temps ».

Montaigne compare alors le langage sur l'amour de deux poètes latins, Virgile et Lucrèce. De même que le jeu de la séduction augmente le plaisir amoureux, de même le style allusif, qui laisse rêver l'imagination, convient particulièrement à l'amour.

Montaigne aime l'amour, où le plaisir qu'il donne le comble autant que celui qu'il reçoit.

III, 6 - Des coches[1] [Des moyens de transport]. Du mal des transports, Montaigne passe aux divers moyens de locomotion. Et des attelages dans lesquels défilaient certains empereurs à Rome, il glisse au luxe des fêtes impériales.

La splendeur n'est pas indispensable à la royauté. Seul est acceptable le luxe qui contribue à la défense et à l'embellissement du royaume. Sinon il offense le peuple. Un chef d'État ne possède pas la richesse de son pays ; il doit simplement l'administrer pour son peuple.

Montaigne envisage ensuite la splendeur de certaines villes du continent américain, du Mexique en particulier, et il condamne la colonisation. L'arrivée des Européens a signifié l'extermination des populations indigènes. Or, loin d'être barbares, les Indiens témoignent d'une forme de civilisation que Montaigne oppose à la cruauté des Européens. Leurs rois, en particulier, sont des modèles de courage, de magnificence et de dévouement à leurs sujets.

III, 7 - De l'incommodité de la grandeur. Après avoir affirmé sa préférence pour une vie sans éclat, Montaigne médite sur la difficulté de la tâche royale. Comment rester modéré alors qu'on détient une puissance absolue ? De plus, le respect qui est dû au roi lui vaut souvent l'hypocrisie de ses sujets.

III, 8 - De l'art de conférer [Mener une conversation]. Montaigne s'instruit moins en imitant des modèles qu'en s'y opposant. C'est pourquoi la conversation, qui oppose deux interlocuteurs, lui semble un exercice très fructueux pour l'esprit. Elle incite à l'émulation, à condition qu'on ait un adversaire à sa mesure.

---

1. Un coche était une grande diligence dans laquelle on voyageait.

Dans la conversation, on cherche moins à atteindre la vérité qu'à avoir raison. Un débat suppose une écoute mutuelle et une égalité entre les interlocuteurs. C'est pourquoi l'exercice de la discussion est difficile aux princes, qui n'ont pas d'égaux, et qui ne doivent pas dévoiler leur incompétence ou leur faiblesse.

La lecture constitue une autre forme de conversation où l'on s'efforce de découvrir l'homme derrière l'auteur.

III, 9 - De la vanité. Montaigne analyse ici les raisons qui poussent les hommes à voyager. C'est le goût du change-ment, le désir d'échapper aux tâches quotidiennes, publiques et privées. Montaigne peut, en voyageant, ne penser qu'à lui-même car il se décharge des problèmes matériels et se délivre des désordres politiques de son pays.

Cette dernière considération l'amène à souligner encore (*cf.* I, 23) le danger de tout bouleversement : on ne réforme pas une société humaine sans renverser également les usa-ges et les traditions qui la fondent. D'autre part, des chan-gements brutaux engendrent la tyrannie[1], d'autant qu'on supporte mieux un mal ancien qu'un mal récent.

Montaigne voyage pour le plaisir. Continuellement sollicité par le spectacle de choses inconnues et nouvelles, il s'arrête où il veut. Il se plaît à la variété des usages tout en essayant de les comprendre (« Tout usage a sa raison »).

Montaigne répond ensuite à une série d'objections ima-ginaires. Certes, voyager l'oblige à quitter sa femme, mais il la laisse alors libre de gouverner la maison, et l'absence ravive l'amour conjugal. Pourquoi, d'autre part, un homme âgé ne voyagerait-il pas ? Il apprend d'autant plus qu'il a plus d'expérience. Et si le voyage est vain, la vie ne l'est-elle pas aussi ?

On peut aussi reprocher à son livre d'être vain. Il lui a pourtant été utile, en l'obligeant à plus de contrôle sur lui-même.

III, 10 - De ménager sa volonté [Il ne faut pas trop exiger de sa volonté]. Ce chapitre s'enchaîne indirectement au pré-cédent : aux devoirs envers autrui, Montaigne préfère ce qu'il

---

1. « Toutes grandes mutations ébranlent l'État et le désordonnent. »

se doit à lui-même. Peu désireux de s'engager politiquement et socialement, il souhaite méditer. On s'aliène dans la vie sociale en s'astreignant aux obligations mondaines. Or, on doit seulement « se prêter à autrui » et ne se donner qu'à soi-même.

Élu maire de Bordeaux, Montaigne s'est efforcé d'assumer sa charge, mais ne s'y est pas dévoué comme son père l'avait fait. Il a refusé de confondre sa vie privée avec ses occupations extérieures : « Le maire et Montaigne ont toujours été deux, d'une séparation bien claire. »

Il convient aussi de modérer ses engagements, de prendre des distances à l'égard de ses désirs : le jugement y gagne en discernement. Cela permet aussi à chacun d'analyser sa conduite, car le seul tribunal qui compte, c'est la conscience, non l'opinion des autres[1].

III, 11 - Des boiteux.
Les raisons véritables des choses échappent à l'esprit humain, qui ne perçoit que les fausses, si bien que des phénomènes incompréhensibles aux hommes sont qualifiés de miracles.

Les procès de sorcellerie se multiplient ainsi[2]. Les présumées sorcières paient de leur vie des certitudes trop aisément acquises. Aux magistrats chasseurs de sorcières, Montaigne réplique que personne n'est parvenu à « une clarté lumineuse et nette. » Réduit à des suppositions, on devrait donc se garder de condamner à mort les sorcières, et tâcher plutôt de les calmer. Mieux vaut douter, et laisser Dieu seul juger.

Montaigne passe alors aux erreurs communes à tous. On appelle souvent prodiges des faits dont on ne sait pas même s'ils sont réels. La rumeur publique prête ainsi aux boiteuses des compétences sexuelles exceptionnelles. Bien qu'elle n'ait jamais été vérifiée, cette rumeur s'est imprimée dans l'imagination, qui à son tour influe sur les sens. Il faut résister aux opinions reçues ou spontanées, et s'abstenir de juger.

---

1. Montaigne s'était vu reprocher de n'être pas retourné à Bordeaux au moment de la peste de 1585. Mais plutôt que de se conduire en héros par goût du spectaculaire, il s'est contenté d'accomplir son devoir d'homme et de chef de famille.
2. Sous l'influence des guerres civiles et de la misère, une recrudescence de la sorcellerie a marqué la seconde moitié du XVIᵉ siècle.

III, 12 - De la physionomie. Les hommes suivent l'opinion commune plus qu'ils ne réfléchissent par eux-mêmes. Ils se laissent impressionner par l'artifice, et désirent autre chose que ce qu'ils possèdent. Pourtant, il suffit de suivre la Nature pour bien vivre. Les paysans puisent ainsi en eux-mêmes la force d'affronter la mort, et, en la désignant, ils atténuent déjà leur souffrance au lieu de l'amplifier.

Montaigne évoque ensuite la monstruosité des guerres civiles : elles excitent l'ambition, la lâcheté, les pillages, et contaminent même les hommes de bien. Comment ces guerres peuvent-elles alors prétendre servir le vrai Dieu ? Sollicité de part et d'autre, Montaigne a préféré ne pas s'engager dans un camp ou dans l'autre[1]. Une épidémie de peste lui a encore montré le courage simple des gens du peuple pour résister au fléau. La Nature les a mieux instruits que la science.

En se préparant à la mort, on ne supprime pas l'angoisse qu'elle suscite. Or, dans l'ordre de la Nature, la mort ne mérite pas qu'on pense constamment à elle. Elle n'est après tout que le « bout de la vie ». Sachons donc vivre selon la Nature, au lieu d'aspirer à la perfection.

Montaigne s'intéresse finalement au sujet qui lui a fourni son titre, la physionomie. Elle ne révèle pas toujours l'être : la laideur de Socrate cachait une grande beauté morale.

III, 13 - De l'expérience. Dans ce dernier chapitre, Montaigne revient sur la méthode à suivre dans la recherche de la vérité. À la connaissance acquise par les livres, il oppose l'expérience vécue. Pour comprendre le réel, la science formule des règles. Mais la Nature ne se laisse pas enfermer dans des règles. Ainsi, dans le domaine juridique, il y a tant de cas particuliers qu'il faudrait presque une loi par cas. Mieux vaut donc se laisser guider par l'expérience et observer les faits.

De même, pour se connaître, il faut s'examiner au jour le jour. Montaigne présente, sans honte aucune, sa façon de vivre. Il s'est préservé en bonne santé grâce à une hygiène de vie bien préférable aux soins des médecins. Comment ceux-ci pourraient-ils guérir, avec les mêmes remèdes, des

---

1. Voir la biographie, p. 8.

hommes si divers ? Ici encore, la science échoue devant la complexité de la réalité. Il faut savoir laisser faire la nature, et aussi accepter la souffrance comme la vieillesse. Ces maux font apprécier les plaisirs de la vie, et nous préparent à la mort en douceur.

Sachons donc nous réjouir que la Nature ait rendu voluptueux les actes nécessaires à la vie, comme de manger, boire et faire l'amour. Quand il suit la nature, l'être s'épanouit parce que l'âme peut participer à la joie du corps. L'esprit accroît en effet le plaisir physique en en prenant conscience ; de son côté, le corps rappelle à l'esprit l'existence du réel et l'empêche de divaguer.

Montaigne conclut ainsi les *Essais* par un hymne à la vie et à la maîtrise de soi. La sagesse ne consiste pas à chercher à s'élever, mais à savoir se modérer.

4 Titre et structure des Essais

■■■■ LE TITRE

Au XVIᵉ siècle, « essayer », c'est expérimenter. Essayer son jugement, c'est le confronter à différents points de vue ; s'essayer, c'est tenter de soupeser son expérience. En donnant à son livre le titre d'*Essais*, en inventant le genre même de l'essai, Montaigne insiste sur la nouveauté de son écriture, qui tente de saisir la réalité de sa personnalité. Ses « essais » sont ses expériences de tous ordres, consignées dans un livre qui se veut sincère : « Toute cette fricassée que je barbouille ici n'est qu'un registre des essais de ma vie » (III, 13). Sans jamais prétendre imposer une leçon, Montaigne exerce son jugement sur tout ce qui se présente à sa réflexion.

■■■■ LES TROIS LIVRES

Ni journal, ni autobiographie, les *Essais* ne comptent d'abord que deux livres, que Montaigne fait paraître en 1580 chez S. Millanges à Bordeaux. En 1588, il publie chez L'Angelier à Paris une nouvelle édition[1] des *Essais* enrichie d'un troisième livre. Trois ans après la mort de Montaigne, en 1595, Mlle de Gournay fait paraître une nouvelle édition des trois livres des *Essais* avec les ajouts et corrections que l'auteur y a portés.

Le texte définitif des *Essais* se compose donc de trois livres de longueur à peu près comparable, mais qui comptent

---

1. Montaigne a peu corrigé ses deux premiers livres, mais il leur a apporté beaucoup d'ajouts.

un nombre de chapitres différent : 57 pour le livre I, 37 pour le livre II, et 13 pour le livre III. D'abord courts, les chapitres des *Essais* s'allongent, mais la pensée des auteurs anciens, très présente dans les premiers livres, y tient de moins en moins de place. Ce qui intéresse Montaigne, c'est de se situer par rapport aux Anciens, de se connaître et de s'exprimer. Lui qui se disait « moins faiseur de livres que de nulle autre besogne » (II, 37) est devenu auteur.

D'ailleurs, dès les premiers chapitres, l'auteur des *Essais* pervertit la tradition des lectures commentées qui développent par des exemples la pensée des Anciens. Montaigne insiste sur le caractère contestable de ce qu'il cite : à tout énoncé, on peut opposer son contraire.

■■■ UNE COMPOSITION « À SAUTS ET À GAMBADES »

Les *Essais* ne sont pas une série de dissertations consacrées à quelques grandes questions. Montaigne les écrit au gré de son humeur, et la succession de ses chapitres ne suit pas la chronologie de leur rédaction. Loin de présenter une construction synthétique, Montaigne propose l'accumulation des questions qui l'ont intéressé dans un désordre et une diversité qui ressemblent à ceux de la réalité même. Au fil des relectures et des rééditions, des ajouts viennent enrichir la version originale, tout en en brisant parfois la lecture.

Les chapitres eux-mêmes ne laissent pas toujours apparaître le plan qui a présidé à leur composition, et le titre que Montaigne leur donne n'annonce parfois qu'un des sujets traités. C'est le cas du chapitre « Des coches », qui dérive des moyens de transport au problème de la colonisation. De même, le chapitre « Des boiteux » traite surtout des procès de sorcellerie et des préjugés des hommes. Quant au chapitre « De la vanité », dont le titre annonce une réflexion générale, sa composition « à sauts et à gambades » fait passer le lecteur d'un sujet à un autre. Par là même, Montaigne exige de son lecteur une attention souple et libre, et un véritable travail : « C'est l'indiligent [qui manque de soin] lecteur qui perd mon sujet, non pas moi » (III, 9).

5 Autoportrait et culte du moi

■■■ SE PEINDRE SOI-MÊME

Montaigne n'a pas pour objectif, dans les *Essais*, de se défendre ou de se glorifier, pas plus qu'il n'a d'intention moralisante. Il ne songeait d'ailleurs pas, initialement, à exposer ses « humeurs et conditions ». Mais son esprit « faisant le cheval échappé », il a pris le parti de noter ses rêveries afin de voir plus clair en lui-même.

L'écriture est pour Montaigne un moyen de se connaître : « Je suis moi-même la matière de mon livre » (Avis « Au lecteur »). Loin de chercher à donner de lui-même une image définitive, il veut avant tout se peindre sans fard, dans tous ses aspects. Il évoque ainsi son tempérament, ses sentiments, ses idées sans modestie excessive, mais sans forfanterie non plus : « Ce sont ici mes humeurs et opinions [...] Je ne vise qu'à me découvrir moi-même » (I, 26). Ce qui compte, c'est surtout la vérité du regard qu'il porte sur lui-même.

Un portrait physique et moral

Le chapitre « De la présomption » (II, 17) offre le premier portrait physique de Montaigne : « d'une taille un peu au-dessous de la moyenne », il a le visage rond et un tempérament « entre le jovial et le mélancolique ». Ce portrait est précisé plus loin (III, 12) : il aime manger, dormir, et il monte volontiers à cheval.

De caractère indépendant, Montaigne s'est soustrait à la tutelle des grands et des rois[1], à l'administration de ses terres et à une carrière de magistrat. Il leur préfère la vie

---

1. Montaigne déclina l'offre d'Henri IV qui l'appelait auprès de lui en 1590.

simple mais libre d'un noble de province : « Il faut se prêter à autrui et ne se donner qu'à soi-même » (III, 10). Quoique peu sujet aux passions, il aime l'amour, hait la cruauté, la lâcheté et le mensonge.

Intellectuellement, Montaigne est un humaniste : il parle et lit couramment le latin et l'italien, connaît parfaitement les auteurs de l'Antiquité, mais il refuse un savoir exclusivement livresque (qu'il considère comme pédant) ; il rejette aussi la spécialisation qui ferme l'esprit à la complexité de la vie.

Bien que Montaigne fasse surtout son portrait moral et intellectuel, il ne sépare pas le corps et l'âme. Il a pris conscience que sa réflexion était influencée par la douleur ou le plaisir qu'il ressentait. C'est pourquoi il fait une place aux menus événements de la vie quotidienne.

L'évolution d'un être

Les *Essais*, dont l'écriture s'étend de 1571 à 1592, montrent clairement l'évolution de leur auteur. D'autant que Montaigne fait des ajouts à son texte. Il y commente son état de santé : « Je me suis envieilli de sept ou huit ans depuis que je commençai » (II, 37, C[1]). Il y souligne encore que son jugement a parfois varié. Mais le fait même d'écrire un livre sur soi en cherchant à se faire comprendre a contraint l'écrivain à une certaine stabilité. L'analyse a ainsi façonné le moi, et le livre est devenu « consubstantiel à son auteur », puisqu'il lui a permis de se construire autant que de se décrire : l'image qu'il peignait de lui-même a en retour influencé son être.

Enfin, Montaigne découvre que l'insignifiant, le détail imperceptible et fugace en dit plus sur l'homme que ses côtés remarquables. L'expérience vécue et quotidienne est la seule façon de se connaître véritablement : tout événement particulier de sa vie (sa rencontre avec La Boétie, I, 28 ; son accident de cheval, II, 6) conduit ainsi Montaigne à s'interroger sur la communication avec autrui, ou sur la mort.

---

1. Le texte des *Essais* ayant été remanié au cours des éditions, les passages écrits en 1580 sont annoncés par la lettre A, les passages écrits en 1588 par la lettre B, et les passages appartenant à l'édition de 1595 par la lettre C.

■ FAIRE UN PORTRAIT
DE L'HOMME EN GÉNÉRAL

Le projet de Montaigne dépasse donc largement la peinture d'un individu narcissique[1]. Il s'observe comme un simple échantillon d'humanité : « Chaque homme porte en soi la forme entière de l'humaine condition » (III, 2). Tous les faits humains l'intéressent, les mœurs, les genres de vie, tout ce que disent ou font les hommes, le plus absurde comme le plus sensé.

Montaigne découvre en même temps que la connaissance de soi permet de mieux comprendre les autres : « Cette longue attention que j'emploie à me considérer me dresse à juger aussi passablement [assez bien] des autres » (III, 13). Son expérience personnelle l'amène à réfléchir sur les problèmes religieux, politiques et sociaux de son époque : il prend parti contre la torture (II, 5), juge les armées quand il les voit se livrer à des actes répréhensibles, s'interroge sur l'engagement d'un individu dans la vie politique (III, 10). Le lecteur des *Essais* se trouve donc confronté à Michel de Montaigne, mais aussi à l'homme en général.

Plus qu'à exalter sa personnalité, Montaigne cherche à bien vivre et à acquérir une forme de sagesse. Il démystifie les préjugés et considère les occupations des hommes comme des rôles dans la comédie sociale, à ne pas confondre avec leur être véritable. Montaigne apprend aussi à faire confiance à la nature et à s'accepter, au lieu de chercher à dépasser sa condition : « C'est une absolue perfection, et comme divine, de savoir jouir loyalement de son être » (III, 13), c'est-à-dire de vivre pleinement en paix avec soi-même, en s'observant et en appréciant tous les moments.

■ LE CULTE DU MOI ?

L'unique dessein de Montaigne est de se peindre[2]. Il souligne même l'orgueil qui entre dans son projet (II, 17)[3]. Dans les récits qu'il fait de ses activités (III, 12 ; III, 13), de ses

---

1. Centré sur soi-même. Héros de la mythologie grecque, Narcisse aimait tant se regarder dans l'eau d'une rivière qu'il se noya.
2. Pascal, au XVIIe siècle, y verra pur narcissisme : « Le sot projet

voyages (III, 9), de son accident de cheval (II, 6), il est souvent le seul personnage en scène. Et même quand il ne se décrit pas, il occupe le devant de la scène parce qu'il affirme sa personnalité en maintes occasions. Sur la colonisation, la notion de civilisation, la cruauté, la chasse, pour ne citer que quelques exemples, il prend position en se référant à sa seule sensibilité et à son esprit critique, non aux idées ou aux préjugés de son époque : « J'ai une âme toute sienne [indépendante], accoutumée à se conduire à sa mode » [à sa façon] (II, 17).

Cela ne signifie pas que Montaigne se complaise à se regarder. D'abord, parce qu'il pose sur lui-même un regard très critique[4] (il manque de mémoire, d'adresse). D'autre part, il tait tout ce qui pourrait contribuer à sa gloire, comme les distinctions qu'il a reçues[5], les marques de confiance qu'on lui a témoignées, ou les actions humanitaires qu'il a proposées : il ne dit pas un mot dans les *Essais*, entre autres choses, de sa requête au roi Henri III pour demander la gratuité de la justice (août 1583).

---

qu'il a eu de se peindre » (*Pensées*). Voltaire contredira Pascal au XVIIIᵉ siècle : « Le charmant projet que Montaigne a eu de se peindre naïvement, comme il l'a fait. Car il a peint la nature humaine » (*Lettres philosophiques*). On appelle « intertextualité » les relations entre un texte et les écrivains qui s'y réfèrent.
3. Mais cet orgueil n'a rien à voir avec celui de Jean-Jacques Rousseau écrivant les *Confessions* au XVIIIᵉ siècle et insistant sur le caractère unique de son projet (en préjugeant même des entreprises à venir) : « Je forme une entreprise qui n'eut jamais d'exemple, et dont l'exécution n'aura point d'imitateur. »
4. On ne retrouvera pas cette lucidité critique chez Rousseau, qui se présente comme un être exceptionnel (conformément à la sensibilité romantique) et qui, se « confessant », ne cesse de se justifier.
5. Une exception : il cite avec fierté le texte qui lui donna le titre de citoyen romain. Mais c'est à la fin du chapitre III, 9, consacré à la « Vanité »...

6 Montaigne et l'Histoire

■ LA PLACE DE L'HISTOIRE DANS LES « ESSAIS »

L'Histoire est présente dans presque tous les chapitres des *Essais*. Dans les deux premiers livres en particulier, elle est souvent au point de départ des réflexions de Montaigne sur l'attitude des ambassadeurs (I, 17), ou le moment des négociations (I, 5 et 6). Grand amateur d'Histoire (II, 10), Montaigne a commencé à écrire en notant les cas étranges ou extraordinaires qu'il rencontrait chez les historiens. Il lit les historiens anciens (Xénophon, Hérodote, Salluste, Tacite, Tite-Live et César), comme les chroniqueurs modernes (Froissart, Commynes et Guichardin). Il s'intéresse aussi aux relations de voyages (Benzoni, Thevet, Mendoza) qui lui révèlent des coutumes et des façons de vivre étrangères, telles que celles des « cannibales ».

Bien que Montaigne fasse peu d'allusions précises aux troubles de son époque (sauf dans le chapitre « De la bataille de Dreux »), la place qu'il accorde à l'Histoire traduit bien ses préoccupations. Dans le chapitre intitulé « De la liberté de conscience » (II, 19), à partir du cas de Julien l'Apostat, empereur romain revenu au paganisme, Montaigne réfléchit à l'efficacité d'une politique de tolérance qui admet l'existence de deux camps dans un État. En lisant les historiens, il cherche à mieux comprendre et à démêler l'actualité de son temps : quand un roi trahit son devoir, est-il juste de l'assassiner ? Afin de mener une enquête complète sur l'homme, Montaigne se plaît à accumuler les exemples contradictoires (dans les premiers chapitres, en particulier). Il compare les comportements de tel prince et de tel autre ; il fait dialoguer le passé avec le présent et s'interroge sur ce que représente l'exercice du pouvoir.

Montaigne distingue deux types d'historiens : ceux qui rapportent des événements sans les commenter, et ceux qui cherchent à expliquer les actions des personnages historiques. Les premiers lui offrent des témoignages fidèles (« la matière de l'Histoire, nue et informe », II, 10), sur lesquels il peut exercer son jugement critique. Les seconds lui permettent de mieux comprendre les réactions humaines.

■■■■ L'HISTOIRE OU LA CONNAISSANCE DES HOMMES

L'Histoire, en effet, n'est pas pour Montaigne un répertoire de dates. Et l'authenticité des faits qu'elle rapporte est souvent impossible à vérifier. Ce qui intéresse surtout Montaigne, dans l'Histoire, c'est qu'elle lui offre un réservoir d'exemples à réexaminer sans cesse, parce qu'ils révèlent les infinies possibilités de la nature humaine : « Advenu ou non advenu [que cela se soit produit, ou non] [...], c'est toujours un tour de l'humaine capacité » (I, 21). L'Histoire est riche d'observations qui montrent la diversité des hommes, de leurs réactions et de leurs desseins : « L'Homme en général, de qui je cherche la connaissance, y paraît plus vif et plus entier qu'en nul autre lieu » (II, 10). En ce sens, l'Histoire telle que la conçoit Montaigne englobe l'anthropologie : elle est découverte des autres, reconnaissance et acceptation de leurs différences.

Mais cette science de l'autre fait aussi accéder à une meilleure connaissance de soi. Disciple de Plutarque[1], Montaigne s'intéresse aux événements privés qui précèdent ou suivent les hauts faits des grands personnages, et s'attache « plus à ce qui part du dedans [les raisons de telle décision] qu'à ce qui arrive au-dehors ». L'Histoire prend ainsi le caractère d'une science morale, qu'on étudie afin de mieux se connaître à travers d'autres : « Tant d'humeurs, de sectes, de jugements, d'opinions, de lois et de coutumes nous apprennent à juger sainement des nôtres » (I, 26). On voit combien elle est liée au dessein des *Essais*.

---

1. Plutarque avait écrit les *Vies parallèles*.

L'ARBITRAIRE DES LOIS

Magistrat, Montaigne a une connaissance précise du droit. Il le sait sujet aux fluctuations selon les époques et les pays : « Quelle vérité que ces montagnes bornent, qui est mensonge au monde qui se tient au-delà ? » (II, 12).

Ce n'est pas la raison qui fonde la loi mais la décision arbitraire d'un peuple ou d'un prince (II, 12), c'est-à-dire la faiblesse et la vanité des hommes (III, 12).

LES REPROCHES DE MONTAIGNE

À l'égard des lois, Montaigne formule trois reproches essentiels. Il critique d'abord le droit romain, qui prévalait à l'époque dans le Sud de la France, alors qu'au Nord existait un droit coutumier, fondé sur un consensus. Montaigne critique *la forme* du droit romain : à moins de passer par un spécialiste, le peuple ne peut ni comprendre ni respecter ces lois écrites en latin. De plus, ce langage prête à contestation et le droit est un fouillis d'interprétations contradictoires. Montaigne conteste d'autre part *le contenu* de ce droit qu'il juge inadapté à la France du XVIᵉ siècle : c'est, par exemple, le cas des lois sur l'âge de la majorité (I, 57) et sur l'héritage.

Montaigne condamne encore la profusion des lois : elles cherchent, en vain, à correspondre à « l'infinie diversité des actions humaines » (III, 13). Mais elles ne pourront jamais la rattraper.

Montaigne reproche enfin aux procédures leur coût et le fait que « la justice soit refusée à qui n'a de quoi la payer » (I, 23).

■■■■ LA NÉCESSITÉ DES LOIS

Cependant, la faiblesse même de l'homme rend les lois nécessaires, parce que la société a besoin d'être organisée. Méfiant à l'égard de toute innovation en matière de législation, Montaigne préfère les coutumes aux lois, parce qu'au lieu d'être promulguées par autorité, elles sont déduites de pratiques et d'usages reconnus par une collectivité. De même, à une loi nouvelle[1], il préfère une loi ancienne, qui s'est adaptée au mode de vie des hommes : « Les lois prennent leur autorité de la possession et de l'usage [...] elles grossissent et s'ennoblissent en roulant » (II, 12). C'est pourquoi Montaigne privilégie la souplesse dans l'adaptation de la loi, l'étude de chaque cas particulier. Au lieu de créer de nouvelles lois qui accroissent la confusion, on devrait laisser plus de liberté aux juges pour interpréter les lois et les adapter à des situations nouvelles.

■■■■ DES LOIS INJUSTES : L'EXEMPLE DE LA TORTURE

La cruauté de la torture

La pratique de la torture (encore appelée « question » ou « géhenne ») a été rendue officielle par l'édit de Villers-Cotterêts de 1539[2]. Les supplices imaginés par les bourreaux sont nombreux (estrapade, écartèlement, corde, potence, etc.) et il existe deux tortures : la torture préalable, destinée à arracher l'aveu, et la torture qui châtie, une fois l'aveu obtenu. Montaigne prend clairement parti contre l'usage de son temps et se révolte contre cette légitimation de la cruauté.

---

1. « Je suis dégoûté de la nouvelleté [nouveauté], [...] car j'en ai vu des effets très dommageables », I, 23.
2. Abolie en 1580, elle continue d'être pratiquée par les magistrats.

L'inefficacité de la torture

L'usage de la torture était fondé sur l'idée (fausse, selon Montaigne) que la bonne conscience de l'innocent l'aide mieux à résister à la douleur que la mauvaise conscience du coupable. Pour Montaigne, au contraire, la douleur ou la peur peut amener un innocent à se dire coupable. Inversement, un coupable endurci pourra résister à la torture. Elle aboutit au mensonge, conduit à condamner à mort un innocent et révèle les défaillances et les absurdités de l'enquête judiciaire. Faute de pouvoir établir des preuves, les juges ont besoin de l'aveu. N'osant pas condamner quelqu'un avant d'en avoir obtenu un aveu, ils le torturent. Mais, ce faisant, ils se chargent, selon Montaigne, d'un crime plus horrible puisqu'ils font alors pis que de tuer[1] » (II, 5).

Le danger moral de la torture

Enfin, supplicier un corps, c'est aussi révolter une âme, à cause de la douleur et peut-être de l'injustice subies. L'inculpé meurt donc en état de rébellion. Et le public est fait complice de ce spectacle morbide. Montaigne suggère que, si l'on tient à la valeur exemplaire du supplice public, on s'en prenne au cadavre du criminel (II, 11).

---

1. Qu'il s'agisse des bourreaux ou de ceux qui ont mis au point les supplices.

8 La guerre et le colonialisme

LA GUERRE

Les guerres qui ébranlent la France n'apparaissent qu'à l'arrière-plan des *Essais* : si certains chapitres traduisent un intérêt de Montaigne pour les problèmes de stratégie militaire[1], d'autres, surtout au livre III, montrent la distance qu'il prend à leur égard. Comme la plupart des humanistes de son temps, Montaigne est pacifiste[2]. Il considère la guerre comme un « témoignage de notre imbécillité et imperfection ». La guerre ne vise qu'à « nous entredéfaire et entretuer » (II, 12).

Telle que les Anciens la pratiquaient, la guerre était occasion de vaillance : « Toute noble et généreuse, et a autant d'excuse et de beauté que cette maladie humaine en peut recevoir » (I, 31). Mais Montaigne condamne sans réserve les guerres modernes, fruit d'ambitions mesquines et occasion de « cruautés inouïes ». De plus, les combattants ne parviennent qu'à une fausse gloire, puisque le hasard seul donne la victoire à tel ou tel camp.

La guerre civile ou religieuse est encore plus monstrueuse aux yeux de Montaigne. Alors que « les autres agissent au-dehors, celle-ci encore contre soi se ronge et se défait par son propre venin » (III, 12). À la confusion, la guerre de Religion ajoute l'imposture, puisqu'en se réclamant de Dieu, elle légitime crimes et cruautés : « Elle veut guérir la sédition [la révolte contre l'autorité établie] et en est pleine, veut châtier la désobéissance et en montre l'exemple » (III, 12).

---

1. En témoignent les titres des chapitres 5, 6, 13, 15, 17, 45 du livre I et 7, 9, 24, 34 du livre II.
2. En 1585, indigné de leur immoralité sauvage, il s'est même abstenu de prendre part aux combats.

Aucune raison d'État[1] ne justifie l'abandon de la morale[2] au nom de la religion même.

■■■■■ LE COLONIALISME

Lorsque Montaigne entreprend ses *Essais*, les grandes conquêtes coloniales sont terminées[3]. Des récits ont paru, relatant ces expéditions, et il y est question des méthodes des colons, et du statut des Indiens. Certains, comme Sepulveda, considèrent les Indiens comme des sous-hommes ; d'autres, comme Bartholomé de Las Casas louent, au contraire, leur douceur et de leur loyauté.

Montaigne s'est tenu informé de ce qui se passait dans le continent américain (« le Nouveau Monde »), tant par des témoignages oraux que par des récits de voyages. Il a aussi assisté, en 1562, à l'entrevue entre le roi Charles IX et trois Indiens à Rouen. Certains chapitres des *Essais* traitent du colonialisme (I, 31, 36 ; II, 12 ; III, 6).

La condamnation de la conquête

Montaigne, qui condamne la guerre, condamne aussi les massacres abominables et disproportionnés auxquels se sont livrés les conquérants espagnols et portugais : « Tant de villes rasées, tant de nations exterminées, tant de millions de peuples passés au fil de l'épée, et la plus riche et belle partie du monde bouleversée pour la négociation des perles et du poivre » (III, 6). Dans l'Antiquité, les Grecs et les Romains ont, eux aussi, colonisé des territoires, mais ils se sont souciés d'assimiler la culture des peuples qu'ils s'annexaient.

La dénonciation des colons

Montaigne dénonce la vanité des conquérants du Nouveau Monde qui se sont arrogé une puissance absolue. Prêchant

---

1. Le Droit stipulait que le peuple français devait avoir la même religion que son roi, le catholicisme en l'occurrence.
2. Montaigne a lu Machiavel, qui place la raison d'État au-dessus de la morale individuelle, mais il est en désaccord avec lui sur ce point.
3. L'empire des Aztèques (Mexique) a été colonisé en 1521 et l'empire des Incas (Équateur, Pérou, Chili) en 1535.

également une religion d'amour, ils ont voulu y convertir les Indiens sous la menace (III, 6). Il peint la cruauté des colons espagnols, leur recours à la ruse[1]. Il s'en prend aussi à la façon dont ils ont exploité la loyauté des sauvages et leur infériorité technique : « Nous nous sommes servis de leur ignorance et inexpérience à [pour] les plier plus facilement vers la trahison, luxure, avarice et vers toute sorte d'inhumanité et de cruauté » (III, 6).

La défense des « cannibales[2] »

Les colons incarnent l'avidité, la corruption et la décadence de l'Ancien Monde. En face d'eux, les indigènes sont qualifiés de « barbares » parce que « chacun appelle barbare ce qui n'est pas de son usage » (I, 31). Par contraste avec la brutalité des colons qui dégradent immédiatement leurs découvertes en vils bénéfices, les « sauvages » n'ont rien de ce qui fait le malheur de nos civilisations. Ils incarnent la pureté, la loyauté et le courage[3]. Leurs mœurs et leur défaite en face des conquérants l'attestent : « Mais quant à la dévotion, observance des lois, bonté, libéralité, loyauté, franchise, il nous a bien servi de n'en avoir pas autant qu'eux ; ils se sont perdus par cet avantage [leurs qualités les ont perdus] » (III, 6). La splendeur de leurs cités et la beauté de leur poésie témoignent du raffinement dont ils sont capables. Montaigne condamne donc sans ambiguïté la conquête du Nouveau Monde, ses fins et ses moyens.

---

1. Dénonciation courageuse à une époque où la France était alliée aux Espagnols, qui finançaient la Ligue catholique.
2. On donnait le nom, d'origine caraïbe, de « cannibales » aux Américains parce qu'il leur arrivait de tuer un ennemi pour s'en nourrir, accomplissant ainsi un rite de vengeance.
3. Montaigne est un des premiers à émettre l'idée d'un homme naturel qui serait bon. Reprise au XVIIIe siècle, en particulier par Rousseau, cette idée deviendra le mythe du bon sauvage.

Le conservatisme politique de Montaigne

Méfiant à l'égard de tout changement, Montaigne a parfois été jugé comme un partisan résolu de l'ordre social et politique établi. C'est aller un peu vite en besogne !

◼◼◼ LA RÉFLEXION CRITIQUE SUR LES GRANDS

Montaigne a d'abord été profondément marqué par le *Discours de la servitude volontaire*, écrit en 1550 par son ami Étienne de La Boétie. Réflexion sur l'oppression et la soumission d'un peuple au tyran qui l'assujettit, le *Discours* préconise la résistance passive au despotisme du pouvoir unique. Pour Montaigne, c'est parce qu'il a le pouvoir qu'un prince est dangereux (II, 12).

Montaigne déplore encore que l' « humanité, la vérité, la loyauté, la tempérance, et surtout la justice » soient très rares chez les princes (II, 17). Ils sont, de plus, d'une ignorance ou d'une médiocrité incompatible avec leur fonction (I, 26 ; *cf.* aussi III, 7). Cela peut les amener à vouloir s'imposer par la crainte, ou à se faire valoir par un luxe dépensier, alors que, responsables du Trésor public, ils n'ont pas le droit de le dilapider (III, 6). Tenant leur force de « la seule volonté des peuples » (II, 17)[1], les rois devraient avant tout chercher à se faire aimer[2]. Tels sont les rois du Mexique et du Pérou, qui donnent l'exemple du courage, et s'identifient à leur peuple (III, 6).

---

1. Montaigne ne croit guère au pouvoir royal de droit divin.
2. Montaigne écrit à Henri IV, le 18 janvier 1590 : « Que Votre Majesté soit plutôt chérie que crainte. »

■■■■ LES PROPOSITIONS DE RÉFORMES

Montaigne propose çà et là des réformes. Dans le domaine de l'application de la justice, il dénonce, on l'a vu, l'inefficacité, l'inhumanité de la torture. Dans sa pratique de la justice, il a souvent préféré s'abstenir plutôt que de prononcer une condamnation, qui requiert une intime conviction (III, 11). Il proteste contre les excès de la fiscalité, et rappelle au roi le tourment de « ceux qui ne vivent qu'avec hasard et de la sueur de leur corps »[1]. Il propose encore que soient révisées les lois sur les dépenses de luxe, et qu'en abaissant l'âge de la majorité civile[2], on permette aux enfants d'être plus vite indépendants de leurs parents sur le plan financier (I, 57 ; II, 8).

Montaigne souhaite qu'un seul droit rédigé en français soit valable dans tout le royaume, au lieu des deux codes romain et coutumier qui ont force de loi respectivement dans le Sud et le Nord de la France[3]. Il réclame[4] la gratuité de la justice, et préférerait que les responsabilités juridiques soient confiées à des gens choisis pour leurs qualités morales, plutôt qu'à des gens capables seulement de les acheter[5] (I, 26 ; III, 13).

■■■■ LA MÉFIANCE À L'ÉGARD DES RÉFORMES

Pourtant, Montaigne met en garde contre le danger des réformes, dans le chapitre I, 23. Le progrès que peut apporter une réforme est hypothétique, tandis que le mal entraîné par le changement est certain. L'innovation ouvre la porte « à l'injustice et à la tyrannie », parce qu'il échappe forcément au réformateur telle ou telle considération. Réformer, c'est vouloir « guérir la maladie par la mort » (III, 9). D'autant que,

---

1. Lettre à Henri III du 31 août 1583.
2. Il était fixé à 25 ans.
3. C'est Louis XIV qui unifiera la législation du pays.
4. Dans son annotation à un projet de réforme judiciaire d'Henri de Navarre en 1584.
5. Rappelons que les fonctions des juges étaient vénales, c'est-à-dire qu'elles s'achetaient.

pour s'imposer, le changement recourt souvent à la violence (II, 8), qui ne peut contraindre les mentalités. Là où de nombreux penseurs de son temps[1] légitimaient la violence dans certaines circonstances, Montaigne s'y refuse (II, 17). De plus, un État étant un organisme comparable au corps humain, une réforme de détail est aussi dangereuse qu'une révolution, parce qu'elle se répercute forcément sur tout le corps (I, 23).

Avant de proposer une réforme, il faudrait pouvoir transformer les conditions et les esprits des hommes. Dans un État déjà constitué, les citoyens sont habitués à certaines coutumes ; on ne peut leur en imposer de nouvelles sans les y préparer (III, 9). Le meilleur régime est celui qui, dans son passé, ses traditions et ses institutions, trouve des ferments qui lui permettent d'évoluer.

Montaigne est donc conservateur en ce qu'il recommande la soumission à l'ordre établi. Mais ce n'est pas parce qu'il croit que l'ordre établi est juste, ou qu'il y trouve un intérêt personnel. Montaigne ne reconnaît aucune valeur intrinsèque aux lois. S'il leur obéit, ce n'est pas « parce qu'elles sont justes, mais parce qu'elles sont lois » (III, 13), et que tout changement serait précaire (I, 23).

■ VIE PUBLIQUE ET VIE PRIVÉE

La vie en société requiert l'obéissance à l'ordre établi et le respect des lois, parce que la stabilité est nécessaire aux citoyens. Se référant à l'exemple de Socrate qui a préféré mourir plutôt que de désobéir au magistrat (I, 23), Montaigne accepte le monde tel qu'il le trouve, mais il sait prendre de la distance par rapport à son rôle social. Cette soumission à l'ordre public garantit sa liberté de pensée : il faut « se prêter à autrui et ne se donner qu'à soi-même » (III, 10).

---

1. La Boétie, les catholiques ultras (Ligueurs) et les protestants.

10 Montaigne et l'éducation

Plutôt qu'un programme éducatif, Montaigne énonce surtout des principes.

CONDAMNATION DU SAVOIR LIVRESQUE ET DES MÉTHODES AUTORITAIRES

Il dénonce l'enseignement du Moyen Âge qui privilégiait la forme logique de l'argumentation au mépris de la recherche pratique de la vérité (III, 12). Les héritiers de ces méthodes, Montaigne les appelle les pédants : ils ne proposent qu'un savoir livresque et cherchent à remplir la mémoire, au lieu d'exercer l'esprit critique (I, 25, « Du pédantisme »).

Montaigne refuse également toute forme d'éducation collective, et s'oppose aux collèges, « ces geôles de jeunesse captive », qui la dispensent en recourant à la contrainte et à la punition. Les châtiments corporels rendent servile l'âme des enfants, les empêchent de s'épanouir, et d'exercer librement leur jugement. De plus, il est impossible de former simultanément des esprits divers.

LES MÉTHODES PRÉCONISÉES PAR MONTAIGNE

Dans le chapitre qui suit la critique du pédantisme, et qu'il consacre à « l'institution [l'enseignement] des enfants » (I, 26), Montaigne préconise donc une éducation individuelle :

l'enfant sera confié à un précepteur[1], dont le rôle est capital. Sa première tâche consistera à prendre en compte la nature de son élève[2] : « Il est bon qu'il le fasse trotter devant lui pour juger de son train. » Il doit aussi s'adapter à lui : comme Socrate le faisait avec les ignorants, le précepteur se mettra à l'écoute de son élève, pour contrôler et apprécier ses réactions spontanées, quitte à les rectifier. C'est à cette condition seulement qu'il pourra apprendre à l'enfant à réfléchir et à former son jugement : « Je ne veux pas qu'il [le précepteur] invente et parle seul, je veux qu'il écoute son disciple parler à son tour. »

L'enfant découvrira par lui-même, grâce au secours de sa raison, des connaissances qu'il confrontera à d'autres : « Qu'il [le précepteur] ne lui demande pas seulement compte des mots de sa leçon, mais du sens de la substance, et qu'il juge du profit qu'il aura fait, non par le témoignage de sa mémoire, mais de sa vie » (I, 26). De plus, en usant de son esprit critique[3], l'enfant pourra également mettre en doute tel ou tel principe, ou le faire vraiment sien.

Cela exclut le savoir par cœur, remplacé par une mise en application systématique des principes étudiés. Cela signifie aussi qu'est abandonné l'encyclopédisme préconisé par Rabelais. Mais Montaigne garde l'idée de l'apprentissage par le jeu, déjà présente chez Rabelais : il faut donner le goût d'apprendre à un enfant qu'on élève dans la douceur, parce que la formation dépend de la motivation de l'élève.

Sur le plan physique cependant, Montaigne préconise de compenser cette douceur par un entraînement à l'effort et à l'endurance. L'enfant devra s'endurcir le corps, apprendre à ne pas craindre le froid ni l'obscurité, à goûter toutes sortes d'aliments. En bref, il devra s'aguerrir afin de moins souffrir. Mais autant que l'esprit, le corps sera respecté, parce que les facultés morales et physiques sont solidaires entre elles. Ainsi seulement, l'enfant apprendra à dominer ses passions et à maîtriser ses instincts.

---

1. Montaigne fut lui-même éduqué par un précepteur allemand. Adolescent, il entra au collège de Guyenne, où il dit avoir oublié tout le latin que lui avait appris son précepteur.
2. En ce sens, l'éducation que Montaigne préconise est très aristocratique.
3. Le mot « critique » vient d'un mot grec qui veut dire « trier », passer au crible.

■■■■ UNE ÉDUCATION VIVANTE

L'enseignement que recevra l'enfant s'attachera moins aux livres qu'à l'observation de la nature : « Que le monde soit le livre de mon écolier » (I, 26). Dès l'enfance, l'élève doit être mis en contact avec la vie, avec les choses de la nature, avec les autres hommes, qu'ils soient pages, paysans, ou artisans. Ce « commerce des hommes » est au moins aussi fructueux que les leçons des livres. La lecture elle-même, Montaigne la voit comme une conversation avec des hommes disparus (II, 10), la conversation étant le meilleur exercice pour l'esprit, car elle l'oblige à réagir rapidement (III, 8).

Montaigne privilégie l'acquisition de méthodes de réflexion beaucoup plus que de connaissances. Il se soucie d'apprendre à observer, à raisonner, à comprendre, mais ne vise pas à préparer l'enfant pour l'exercice d'une profession. Bien formé, l'enfant pourra ensuite acquérir la science particulière dont il aura besoin : « La science qu'il choisira, ayant déjà le jugement formé, il en viendra bientôt à bout. »

Les voyages compléteront cette éducation en obligeant l'enfant à « frotter et limer sa cervelle à celle d'autrui ».

■■■■ LA FINALITÉ DE CETTE ÉDUCATION

Montaigne n'oublie jamais que le but de l'éducation est moral. Il s'agit de former non un savant, mais un homme de jugement, qui sera capable de reconnaître la vérité et de la choisir : « Le gain de notre étude est d'en être devenu meilleur et plus sage » (I, 26). Montaigne amplifie en effet l'idée de Rabelais selon laquelle « Science sans conscience n'est que ruine de l'âme » : il n'accorde pas de valeur intrinsèque à la science, seul compte l'usage qu'on en fera.

Montaigne cherche à fortifier la nature de l'enfant et à lui apprendre d'abord à vivre. Il lui importe que cet enfant acquière l'esprit et le cœur d'un homme libre et soucieux de se connaître soi-même, pour être heureux.

11 **Autres thèmes des** Essais

■■■■ L'AMITIÉ

En 1558, Montaigne rencontre Étienne de La Boétie (magistrat lui aussi) dont il a apprécié le *Discours de la servitude volontaire*. L'amitié naît immédiatement entre les deux hommes : « Nous nous cherchions avant que de nous être vus » (I, 28). Montaigne évoque cette amitié exceptionnelle avec beaucoup d'émotion et avec une ferveur que les années n'atténuent pas : on en voit la preuve dans les nombreux ajouts pleins de nostalgie qui enrichissent le chapitre I, 28.

Rien ne peut être comparé à cette amitié et elle ne s'explique que par un alexandrin devenu célèbre : « Parce que c'était lui, parce que c'était moi. »

Cette amitié n'a rien à voir avec la relation des enfants aux pères qui n'implique ni choix ni parfait échange. Entre le père et l'enfant manque la réciprocité : le père corrige l'enfant, qui le respecte. La relation homosexuelle, courante chez les Grecs, excluait l'égalité, dans la mesure où l'un des deux partenaires était nettement plus âgé que l'autre. Fondée comme l'amitié sur un choix volontaire, la relation entre un homme et une femme n'a pas la stabilité de l'amitié puisque, sitôt rassasié, le désir physique s'évanouit. Quant au mariage, il est surtout association de fortunes. Les autres relations sociales se nouent et se dénouent au gré des circonstances.

Contrairement à toutes les autres affections empreintes d'inégalités, l'amitié qu'ont partagée Montaigne et La Boétie est une fraternité entre hommes mûrs et égaux, la fusion de deux volontés libres : « Nous étions une âme en deux corps » (I, 28). Cinq ans après cette rencontre, La Boétie meurt. Montaigne, désormais, n'existe « plus qu'à demi ». Il rend un premier hommage à son ami en lui donnant une survie littéraire : il fait publier à Paris les œuvres de La Boétie. Mais il a perdu le seul être qui le connaissait mieux que lui-même. Seule l'écriture peut lui offrir le « répondant » qui lui manque désormais. L'amitié de Montaigne pour La Boétie joue donc un rôle exceptionnel dans sa vie et dans son livre, au centre duquel il voulait initialement publier le livre de son ami (I, 28 et 29). Ayant été devancé[1], il renonce à son projet, mais consacre deux chapitres à louer cette amitié unique et à rendre hommage à La Boétie.

▄▄▄▄ L'AMOUR, LES FEMMES, LE MARIAGE

L'amour et le désir

L'amitié a ce privilège d'être parfaite communication. L'amour dont parle Montaigne est surtout désir : « Ce n'est qu'un désir forcené après ce qui nous fuit » (I, 28), soif de plaisir (III, 5). Montaigne évoque avec beaucoup de liberté l'amour, dont il a connu « toutes les rages » (III, 3) et où il trouve la plus grande volupté (II, 12). On doit pouvoir sans honte mentionner « l'action génitale » si naturelle, si nécessaire et si juste », puisqu'elle est à l'origine de notre existence même (III, 5). Montaigne ne craint pas non plus de parler de l'impuissance sexuelle, qu'il explique soit par la force de l'imagination (I, 21), soit par la violence de la passion (I, 54).

Le corps et l'âme étant étroitement solidaires, Montaigne ne limite cependant pas l'amour au désir physique ; il a au contraire le pouvoir de revigorer l'esprit même. Au chapitre « Sur des vers de Virgile » (III, 5), Montaigne s'intéresse au langage sur l'amour et au langage de l'amour. La poésie est particulièrement apte à parler d'amour, parce qu'elle pratique l'allusion et que la fiction permet de représenter « je ne sais quel air plus amoureux que l'amour même ». De même, Montaigne justifie les coquetteries féminines qui aiguisent le plaisir en le retardant, en « entr'ouvrant [...] une si belle route à l'imagination » (III, 5).

Les femmes

Le discours que tient Montaigne sur les femmes ne renverse pas les rôles et les statuts qui leur étaient reconnus

---

1. Voir la note 1, p. 17.

à l'époque. Il aime en elles la beauté, et sa relation avec les femmes[1] paraît seulement d'ordre amoureux (III, 3). S'il consacre le chapitre 35 du livre II à quelques exemples de femmes très courageuses, c'est qu'elles sont à ses yeux des exceptions. Mais il admet déjà cette forme d'égalité qu'est le partage des tâches et il abandonne volontiers à sa femme l'administration de ses terres quand il part en voyage en Italie (III, 9).

Ici encore, Montaigne témoigne donc d'une pensée très souple et dynamique. Tantôt il considère que les femmes sont soumises à leur corps, tantôt il les reconnaît égales aux hommes et distinctes d'eux par les seules coutumes : « Je dis que les mâles et les femelles sont jetés au même moule » (III, 5). Certes, de nombreuses phrases des *Essais* les associent aux enfants[2], et les excluent de certains domaines de la connaissance, mais Montaigne leur réserve les deux disciplines qu'il préfère, la poésie et l'histoire (III, 3). Il lui arrive d'émettre des doutes sur l'éducation qu'elles dispensent à leurs enfants. Mais il approuve que les femmes refusent « les règles de vie » que les hommes cherchent à leur imposer alors qu'ils les ont « faites sans elles » (III, 5).

Quant au mariage, Montaigne le considère comme un « marché » nécessaire à la vie sociale : « À le bien façonner et à le bien prendre, il n'est point de plus belle pièce en notre société » (III, 5). Mais il le juge incompatible avec le désir : « Un bon mariage, s'il en est, refuse la compagnie et condition de l'amour » (III, 5)[3]. Lui-même s'est marié pour respecter l'usage et s'est révélé plus fidèle qu'il ne s'en croyait capable : « Et, tout licencieux qu'on me tient, j'ai en vérité plus observé les lois de mariage que je n'avais ni promis ni espéré » (III, 5).

---

1. À l'exception de Marie de Gournay, sa « fille d'alliance ». Mais il reste difficile à établir si ce qui est dit d'elle dans les *Essais* est dit par Montaigne, ou ajouté par Mlle de Gournay, qui réédita le texte.
2. « Le bas populaire, les femmes et les enfants » (I, 20) ; « le peuple, les enfants, les femmes et les malades » (I, 27), etc.
3. Ou encore : « C'est une religieuse liaison et dévote que le mariage : voilà pourquoi le plaisir qu'on en tire, ce doit être un plaisir retenu, sérieux, mêlé de quelque sévérité » (I, 30).

■■■■ LES VOYAGES

Au XVIᵉ siècle, le voyage était surtout le fait des aventuriers, des marchands et des diplomates. Montaigne fait exception : outre de nombreux voyages à Paris, il part en juin 1580 pour un voyage qui durera plus d'un an et qui le conduira jusqu'à Rome en passant par l'Allemagne et la Suisse.

Le goût des voyages

Montaigne entreprend ce long voyage pour tâcher de soigner sa gravelle[1] en allant faire des cures thermales dans des villes d'eaux réputées d'Allemagne et d'Italie. Voyager le divertit et l'instruit, comme il l'explique au chapitre « De la vanité » (III, 9). Il voyage aussi pour fuir les tourments que lui causent les guerres de Religion en France (« Je sais bien ce que je fuis », III, 9). Il part à cheval, avec quelques amis et des serviteurs. Il regrettera de ne pas avoir emmené un cuisinier qui aurait appris la cuisine suisse, allemande et italienne.

Très ouvert, Montaigne s'adapte en effet à toutes les cuisines et à tous les modes de couchage. Il ne craint pas la fatigue et se montre capable de chevaucher durant toute une journée. Sans s'imposer la moindre contrainte, il règle son itinéraire selon l'inspiration du moment. Si ses compagnons de voyage s'en plaignent, il leur répond que, n'ayant pas de but déterminé, il ne peut se tromper de route.

Les bienfaits des voyages

Le voyage constitue pour Montaigne un entraînement « à remarquer les choses inconnues et nouvelles » (III, 9). Raillant ses compatriotes qui veulent retrouver la France à l'étranger, Montaigne cherche avant tout à pénétrer les coutumes et les mœurs des pays qu'il traverse. Au lieu de rapporter de nombreuses remarques sur l'art antique et contemporain d'Allemagne et d'Italie, il se montre surtout curieux de tout ce qui concerne la vie pratique et les usages. Il s'intéresse aux techniques de chauffage, aux machines diverses ;

---

1. Voir note 4, p. 8.

il observe les mœurs des courtisanes, des paysans. Soucieux de morale plus que d'archéologie, il regarde tous les hommes comme ses concitoyens naturels.

Montaigne est, bien sûr, conscient que le voyage ne guérit pas l'homme de ses passions : « L'ambition, l'avarice, l'irrésolution, la peur et les concupiscences ne nous abandonnent point pour changer [parce que nous changeons] de contrée » (I, 39). Mais cela ne l'empêche pas de considérer le voyage comme un divertissement. En le détournant momentanément des affaires domestiques, le voyage lui procure le plaisir de s'instruire en regardant autour de lui.

Le rôle des voyages

Ainsi conçu, le voyage permet d'apprendre à comprendre les autres, ceux qui sont différents. Grâce aux voyages, on peut constater que les mentalités et les usages diffèrent d'un pays à l'autre. On devient plus tolérant, car on découvre qu'il n'y a pas de vérité unique. Or chacun a tendance à prendre les usages de son pays pour critère universel de la vérité : « Je festoie et caresse la vérité partout où je la trouve » (III, 8). Cet apprentissage de la relativité des usages correspond bien au double effort des *Essais*. Il s'agit de saisir la spécificité de certains traits de caractère ou de mœurs, et à la fois d'appréhender l'universalité derrière les différences.

▬▬▬ LA VIEILLESSE

Le problème de l'âge tient une place importante dans cette réflexion sur soi que sont les *Essais*. Montaigne conclut d'ailleurs chacun de ses trois livres par une réflexion sur l'âge : « De l'âge » (I, 57), « De la ressemblance des enfants aux pères » (II, 37), et « De l'expérience » (III, 13). Il considère qu'après trente-cinq ans, les facultés physiques et intellectuelles déclinent (I, 57).

De façon générale, les termes par lesquels il qualifie la vieillesse sont très péjoratifs : « tirant sur le flétri et le rance » (II, 37). Il souligne que « Notre esprit se constipe et croupit en vieillissant » (III, 12) et que la vieillesse « nous attache plus de rides en l'esprit qu'au visage ». Pour Montaigne, il « ne se voit point d'âmes, ou fort rares, qui en vieillissant ne sentent à l'aigre et au moisi » (III, 2). Décrépitude, impuissance (II, 8), la vieillesse est enfin le temps d'un repentir que Montaigne refuse pour lui préférer, sans hésitation, les péchés commis dans la jeunesse (III, 2).

Cependant, au fur et à mesure de son propre vieillissement, Montaigne évolue. Il espérait que chez « ceux qui emploient bien le temps », la sagesse augmenterait avec l'âge (I, 57). Cela aurait contrebalancé la perte de vivacité. Mais le vieillissement du corps atteint forcément l'âme, et Montaigne le déplore comme une réduction de son existence : « Ce que je serai dorénavant, ce ne sera plus qu'un demi-être » (II, 17)[1]. Petit à petit, la vieillesse dérobe aux hommes leurs forces vitales (III, 4) et les achemine à la mort.

Tout l'effort de Montaigne consiste à résister au déclin, en tirant profit de la liberté que confère l'âge. Il s'autorise ainsi à parler librement de l'amour et du désir, au chapitre « Sur des vers de Virgile » (III, 5). Plus il avance en âge, plus il cherche à vivre intensément tous les instants qui lui sont donnés. Les apprécier et les redoubler en les décrivant, voilà qui permet de compenser la fuite du temps (III, 13).

■■■■■ LA MORT

La maladie

Avec l'âge, Montaigne fait aussi l'expérience de la maladie (qu'il considère comme « le loyer dû à la vieillesse », III, 13)[2]. En 1578[3], il connaît les premières atteintes de la gravelle[4]. Il fait donc l'expérience de la douleur, d'une douleur tenace mais discontinue : « On n'a point à se plaindre des maladies qui partagent loyalement le temps avec la santé » (III, 13).

---

1. Il a environ quarante-six ans quand il rédige ce chapitre.
2. Il remercie Dieu de l'avoir épargné jusque-là (III, 9).
3. Il a quarante-cinq ans.
4. Voir note 4, p. 8.

L'imagination joue un rôle dans la perception de la douleur : Montaigne raconte ainsi qu'une femme qui avait avalé une aiguille se trouva soulagée de sa douleur quand on lui assura qu'elle l'avait recrachée. Montaigne s'efforce donc de dominer sa souffrance en l'analysant. Mais il refuse de la nier : les philosophes stoïciens ne suppriment pas la douleur en ne l'appelant pas par son nom (I, 14).

Si la douleur n'a pas de vertu en soi, elle permet, par contraste, d'apprécier le plaisir. De plus, à la crainte d'une souffrance, Montaigne se rend compte qu'il préfère une souffrance réelle, à laquelle il peut s'habituer. Par nature, il se trouve qu'une douleur qui dure est souvent moins violente qu'une brève souffrance (I, 14). Et puis, la douleur réelle de cette maladie qui le prépare à la mort lui épargne, du moins, la crainte d'une douleur inconnue : « À la vérité, ce que nous disons craindre principalement en la mort, c'est la douleur, son avant-coureuse coutumière » (I, 14).

Maladie et souffrance ne sont donc pas des illusions des sens, mais des phénomènes naturels. Il faut les accueillir comme tels parce qu'ils rappellent à l'homme l'existence et les réactions instinctives de son corps. C'est pourquoi Montaigne refuse les secours de la médecine : « Laissons faire un peu à Nature : elle entend mieux ses affaires que nous » (III, 13). Non content de la croire inutile, Montaigne juge la médecine impuissante car elle a trop de facteurs à prendre en compte : diversité des réactions d'un individu à l'autre, pluralité des signes, des affections et des causes.

L'attitude face à la mort

Une souffrance n'inspire de crainte que parce qu'elle annonce la mort. Signe de l'imperfection naturelle de l'homme, la mort occupe une place importante dans les *Essais*. Elle est le moment où l'on rend ses comptes (I, 3 ; I, 7 ; I, 19 ; II, 13), où l'on affronte l'inconnu. Montaigne admire d'ailleurs le courage avec lequel certains l'accueillent, tout comme il justifie le suicide (II, 3). Peut-être l'importance de la mort s'explique-t-elle par le fait qu'en perdant son ami La Boétie, Montaigne a pris conscience de tout ce que signifie la disparition. Ce « dernier acte de la comédie » (I, 19) lui semble la « plus horrible » des choses, et il veut se préparer à l'affronter. À l'insouciance des animaux, il préfère d'abord l'attitude qui consiste à se tenir « botté et prêt à partir » (I, 20). Et il se convainc que ce qui donne à la vie son prix, ce n'est pas sa durée mais l'usage qu'on en fait.

Un accident de cheval permet à Montaigne de substituer l'expérience à la philosophie. Blessé, sans connaissance, il peut apprivoiser la mort en s'en « avoisinant » (II, 6). Il prend alors conscience que la crainte de la mort est ce qui la rend horrible. En effet, le moment de la mort venu, la faiblesse de l'âme accompagne celle du corps. Ainsi, l'agonisant ne souffre pas autant que se l'imagine un être en pleine possession de ses moyens. En observant la façon dont meurent les gens du peuple, Montaigne apprend également que, mieux que dans les livres, les hommes trouvent en eux-mêmes des ressources qui leur permettent d'affronter la mort. Il n'a vu aucun paysan de son voisinage se préparer à la mort : « Nature lui apprend à ne songer à la mort que quand il se meurt » (III, 12).

Il faut donc cesser de troubler la vie par le souci de la mort. En fait, une excessive préparation à la mort est plus pénible que la mort elle-même (III, 12). À y bien réfléchir, la mort n'est d'ailleurs pas un moment unique. Au cours de son existence, un individu connaît une série d'événements (souffrance, maladie, vieillesse), qui le font passer, comme la mort, d'un état dans un autre : « La mort se mêle et confond par tout à notre vie » (III, 13). Et puis, c'est la mort qui donne son prix à la vie, dont Montaigne veut profiter toujours davantage (II, 15 ; III, 13).

12 La religion de Montaigne

Appartenant au domaine de la vie privée, la croyance d'un écrivain est difficile à établir avec certitude. Mais on peut chercher à dégager de son œuvre quelques idées directrices.

■■■■■■ LA CONCEPTION DE DIEU

Au XIIIe siècle, saint Thomas d'Aquin posait la question : « Peut-on fonder la foi sur la raison ? » Le théologien Raimond Sebond, que traduit Montaigne, revient sur ce problème. Dans l' « Apologie de Raimond Sebond » (II, 12), Montaigne prend le contre-pied du théologien : pour lui, la raison humaine est incapable de connaître Dieu, qui est sans commune mesure avec l'homme. L'anthropocentrisme, qui fait de l'homme le centre du monde et se figure Dieu à l'image de l'homme, est erroné et sacrilège. Il veut en effet abaisser Dieu « à notre corruption et à nos misères » (II, 12).

Pour Montaigne, Dieu est « une puissance incompréhensible », immuable, hors du temps. Étant toute bonté, Dieu « a fait tout bon » (III, 13). Ses desseins restent obscurs aux hommes. Ceux-ci considèrent par exemple comme des « monstres » des êtres handicapés qui n'ont peut-être, en fait, rien de monstrueux au regard de Dieu (II, 30).

Créateur et Providence, Dieu n'intervient pourtant pas constamment dans les affaires humaines[1]. Les hommes ont donc tort de fonder leur foi sur ce qui leur arrive (I, 32) ou de « rechercher au ciel les causes et menaces anciennes de

---

1. Cette conception de Dieu annonce celle d'un Voltaire au XVIIIe siècle.

leurs malheurs » (I, 11)[1]. Au chapitre « Des prières » (I, 56), Montaigne explique que Dieu ne se conforme pas aux demandes des hommes, mais agit selon une justice qui leur est inconnue : « Dieu est bien notre seul et unique protecteur et peut toutes choses à nous aider ; [...] il est pourtant autant juste comme il est bon et comme il est puissant, mais il use plus souvent de sa justice que de son pouvoir. » La foi doit exprimer la reconnaissance de l'homme envers Dieu. En effet, seule la grâce divine permet à l'homme, faible par nature, de s'élever et de surmonter les limites de sa nature (II, 12).

■■■ LES RELIGIONS

En prônant la lecture individuelle des Écritures, les protestants se mêlent de discussions réservées aux théologiens (II, 12). Non seulement la faiblesse de l'esprit humain les rend dérisoires, mais d'autre part, elles sont pernicieuses pour la morale et la vie publique.

Au chapitre « De la liberté de conscience » (II, 19), Montaigne déplore les catastrophes qu'a produites le christianisme naissant en brûlant les œuvres d'art sous le prétexte qu'elles étaient païennes. La foi devrait inciter catholiques et protestants à la douceur et à la modération, non au fanatisme : « seule et sans les mœurs [la morale] », la religion ne suffit pas « à contenter la divine justice » (III, 12). Surtout préoccupé de morale, Montaigne dénonce la dévotion excessive et l'hypocrisie de certains qui s'adonnent en réalité « à la haine, l'avarice et l'injustice ».

Montaigne envisage enfin les religions comme des phénomènes sociaux, soumis à la naissance et au déclin. Une croyance religieuse s'explique par la crainte des châtiments promis aux incroyants, l'espoir de récompenses (II, 12), mais aussi par l'obéissance aux traditions. Montaigne a hérité de la religion en usage dans son pays. On n'est pas très loin de l'idée de Montesquieu qui fait de telle religion moins un acte de foi qu'un héritage culturel : l'auteur des *Essais* tient sa religion du hasard « où Dieu [l]'a mis » (II, 12).

---

1. L'Église catholique reproche d'ailleurs à Montaigne d'avoir trop souvent attribué à la « fortune », c'est-à-dire au hasard, des événements voulus par Dieu.

LA RELIGION
DE MONTAIGNE

Conscient de la précarité de son jugement, Montaigne est resté catholique. Cela ne l'empêche pas de prendre des distances par rapport au catholicisme. D'abord de façon implicite : il parle peu de la Vierge (I, 56) et ne mentionne qu'une fois les reliques et les miracles (I, 27). Il ne fait guère de place aux notions de péché et de confession, et il ne croit pas que l'on se repente des fautes dans lesquelles on retombe souvent (III, 2).

Plus explicitement, Montaigne ne reconnaît pas à l'homme une place centrale dans l'univers. Il ne le trouve guère différent des animaux (II, 12), dont il n'exclut pas qu'ils puissent avoir des comportements religieux[1]. Il critique l'utilisation des prières comme des formules magiques (I, 56). Il remet en cause des conceptions qui lui paraissent puériles, comme celle du paradis « tapissé d'or et de pierrerie » chez les Mahométans, ou la croyance de certains catholiques en une vie terrestre après la résurrection (II, 12). Il prend la défense du suicide (II, 3), pourtant condamné par l'Église. Il se demande enfin s'il est bien juste d'espérer gagner la vie éternelle en récompense « d'une si courte vie » (II, 12).

La religion de Montaigne ressemble à une religion non pas révélée, mais naturelle. Il privilégie l'action morale, rappelle que le meilleur juge de l'homme est sa conscience, et reconnaît la grandeur de Dieu, souvent confondu avec la nature divinisée. Mais par l'écart qu'il a creusé entre l'homme et Dieu, Montaigne semble proche de l'agnosticisme, attitude qui consiste à douter que l'homme puisse s'élever jusqu'aux notions métaphysiques.

---

1. Il évoque ainsi l'attitude de « méditation » des éléphants (II, 12).

■■■ LA TENTATION DU STOÏCISME

Le stoïcisme est une doctrine philosophique qui place le bonheur dans la vertu et professe l'indifférence devant tout ce qui affecte la sensibilité. Selon cette doctrine, on peut, au prix d'une constant exercice (une ascèse), se rendre supérieur aux maux de la condition humaine par impassibilité. Le XVIe siècle se passionne pour les philosophes stoïciens, en particulier Sénèque et Plutarque[1].

Comme ses contemporains, Montaigne est un moment (entre 1572 et 1580) séduit par la philosophie stoïcienne. Elle se trouve incarnée par son ami La Boétie dont il admire l'élévation morale et la fermeté devant la mort[2].

Mais, dès cette époque, il reproche au stoïcisme de ne pas voir la réalité de la douleur en face et de ne « débattre que du mot » (I, 14). La philosophie stoïque ne tient pas compte non plus de l'interdépendance chez l'homme de l'âme et du corps. De plus, elle s'aveugle en se fiant trop aux apparences au lieu d'examiner les motivations profondes de telle action, et la conduite habituelle d'un homme (II, 2 ; II, 29). Car une action vertueuse peut être le produit du hasard (I, 12). Petit à petit, Montaigne en vient même à mettre en cause la notion de vertu stoïque, qui est en réalité un effort entrepris contre la nature. À ce raidissement contre le vice, il préfère une bonté qui serait naturellement éloignée du mal. Le sage ferait mieux d'aimer les dons de Nature : la santé, la beauté (III, 12), et les plaisirs intellectuels comme physiques.

---

1. Que fait connaître la traduction d'Amyot.
2. Une lettre de Montaigne à son père (coll. « Bibliothèque de la Pléiade », p. 1347) en témoigne.

■■■ LE SCEPTICISME

Montaigne se familiarise avec la philosophie sceptique quand il lit, à l'âge de quarante-huit ans (en 1575-1576), les *Hypotyposes* [esquisses] *pyrrhoniennes*, éditées en 1562. L'auteur de ce livre, Sextus Empiricus, philosophe et médecin grec du IIIe siècle, entreprend de clarifier la pensée de Pyrrhon (philosophe grec du IVe siècle av. J.-C.). Pyrrhon nie que l'homme puisse atteindre la vérité : les sens font illusion, et les jugements sur une même question se contredisent. Il ne reste plus que le doute.

Les *Essais* portent la trace de cette lecture, en particulier l' « Apologie de Raimond Sebond », qui passe en revue les doctrines philosophiques. Elles ne sont que des opinions, incapables d'atteindre la vérité. Leur pluralité et leur diversité jettent le doute sur l'aptitude des hommes à bien juger.

Les hommes ne perçoivent de la réalité que des apparences déformées par leurs perceptions sensorielles. Les impostures de la vue et de l'ouïe en particulier montrent qu'on ne peut se fier aux sens. Un bâton plongé dans l'eau apparaît courbe par une illusion d'optique. Le corps est parfois tout-puissant sur le jugement : « Si ma santé me rit [...], me voilà honnête homme [je me comporte correctement], si j'ai un cor qui me presse l'orteil, me voilà renfrogné » (II, 12). En retour, l'imagination trompe encore les sens et contredit l'apparence externe.

Il ne nous reste plus qu'à reconnaître notre ignorance et notre instabilité, car, pris dans le mouvement de l'univers, nous passons d'un état d'esprit à un autre. En 1576, Montaigne fait frapper une médaille où figurent une balance et une devise en grec : « Que sais-je ? », parce que l'affirmation « je doute » émettrait encore trop de certitude. Aucune affirmation ne saurait être trop catégorique, étant donné qu'un jugement est très relatif : il correspond à « la mesure de ma vue, non [à] la mesure des choses » (II, 10).

Cela étant, Montaigne ne s'abstient pas de juger ; il a simplement conscience du caractère subjectif, et parfois même provisoire, de son jugement. Le scepticisme pyrrhonien incite donc Montaigne à rejeter une réflexion coupée du réel, pour privilégier l'expérience.

L'expérience

Montaigne élabore sa conception de la sagesse à partir de deux maîtres mots : l'expérience et la nature. Par l'invention d'un genre, l'essai, il s'est appliqué à se connaître au jour le jour. De même, ses principes éducatifs sont fondés moins sur le respect des bibliothèques et du savoir établi que sur la mise en pratique de la leçon et l'exercice de l'esprit critique. Le dernier chapitre, « De l'expérience » (III, 13), affirme la valeur de l'expérience. Elle seule permet de se connaître et d'éprouver sa différence.

La connaissance de soi

Aux hommes illustres par leur courage ou leur vertu, Montaigne préfère Socrate, soucieux de se connaître soi-même. Cela implique de mobiliser toutes ses facultés d'intelligence et de sensibilité pour goûter les ressources de son être et les richesses de l'existence : « J'ai mis tous mes efforts à former ma vie, voilà mon métier et mon ouvrage » (II, 37).

« Être à soi » signifie non pas se complaire en soi-même, mais s'observer lucidement, en évitant les illusions de la réputation et de l'approbation d'autrui (I, 16)[1]. Les apparences, les effets d'un acte sont souvent le fruit du hasard ; il faut sonder les véritables motivations de cet acte, et se fier plus au comportement quotidien d'un homme qu'à ses élans exceptionnels.

De plus, la recherche de gloire éloigne l'homme de soi-même, le pousse à s'engager dans la vie publique. Or, les charges sociales ou les responsabilités politiques ne sont que des « rôles » : « La plupart de nos vacations [occupations] sont farcesques [relèvent du théâtre] » (III, 10). Pour se connaître véritablement, il faut se retirer de la foule,

---

1. C'est pourquoi les rois et les princes, constamment leurrés par la flatterie et l'approbation du grand nombre, sont, moins que les autres, capables d'être heureux et lucides.

se « réserver une arrière-boutique toute nôtre » (I, 39). Seule la solitude permet de se regarder paisiblement[1] (I, 39 ; III, 1 ; III, 10).

Et, surtout, il n'y a pas de véritable tranquillité pour l'homme sans l'approbation de sa conscience. Elle est le seul juge auquel il doive en référer, et aucune activité sociale ou politique ne mérite qu'il l'oublie : « Le vice laisse, comme un ulcère en la chair, une repentance en l'âme qui toujours s'égratigne et s'ensanglante elle-même [...]. Il n'est pareillement bonté qui ne réjouisse une âme bien née » (III, 2).

Le refus du mensonge et de la cruauté

Cette exigence de lucidité, omniprésente dans les *Essais*, s'accompagne d'un refus du mensonge et de la ruse, que l'on trouve dès les premiers chapitres (I, 5 ; I, 6), dans lesquels Montaigne déclare qu'il veut faire confiance à la loyauté d'autrui. Mentir est une forme de lâcheté, une crainte des autres, avec lesquels on ne communique plus (II, 17). L'État lui-même ne tient que par la confiance qui lie les hommes entre eux, et sans laquelle il sombre dans l'anarchie (I, 6).

Autre forme de lâcheté, aux yeux de Montaigne : la cruauté, comme le fait apparaître le titre du chapitre II, 27 : « Couardise mère de la cruauté. » Montaigne y revient souvent (II, 5 ; II, 11 ; II, 27) et il démonte le mécanisme que la cruauté met en place. Le souci de leur sécurité combiné avec leur lâcheté, voilà ce qui rend les tyrans sanguinaires. Faute de pouvoir les affronter, ils exterminent ceux qui les offensent (II, 27).

Un art de vivre

• Suivre la Nature

Montaigne conçoit le bonheur comme l'harmonie, non tant de l'homme avec Dieu, que de l'homme avec lui-même, ici-bas. Jouir de soi implique de cultiver sa vie intérieure, parce qu'il faut savoir rester soi-même si l'on veut avoir quelque

---

1. Pascal reprendra cette idée au siècle suivant en disant que « le grand malheur de l'homme vient de ce qu'il ne sait pas demeurer en repos dans une chambre », *Pensées*.

chose à donner à autrui. Jouir de soi, c'est aussi reconnaître et savourer les plaisirs simples — matériels ou spirituels — qui sont à la portée de chacun.

Principe de vie, la Nature est « un doux guide » qui protège tous les êtres animés et les conduit avec douceur « à toutes les actions et commodités de la vie » (II, 12). Elle a ainsi rendu voluptueux les actes nécessaires à la vie, comme manger, dormir et faire l'amour (III, 13). L'homme lui doit ce qu'il a de plus précieux : la santé, la beauté physique, les plaisirs. Pas seulement les plaisirs du corps, mais aussi ceux de l'esprit : la lecture (II, 10 ; III, 3) et la conversation, qui est « le plus fructueux et naturel exercice de notre esprit » (III, 8).

Car Montaigne lie sa philosophie de la nature à la connaissance de soi. Le plaisir qu'on éprouve est d'autant plus fort qu'on en est conscient : « Quand je danse, je danse » (III, 12). Il s'abandonne au plaisir de l'instant sans se laisser troubler par rien d'autre, mais sans excès : « Le bonheur m'est un singulier aiguillon à la modération et à la modestie » (III, 9).

● Modérer ses désirs

Cet hédonisme, cette recherche du bonheur, débouche sur une morale de la modération. Il faut résister à la tentation de se vautrer dans la volupté (III, 10) ; il faut se détacher des biens matériels, afin de ne pas souffrir des adversités, et savoir limiter ses occupations. Non pour ne pas agir, mais pour conquérir au contraire le calme intérieur nécessaire à l'action : le sage « n'a rien perdu, s'il a soi-même » (III, 10). Montaigne se méfie encore de la colère, de l'ivrognerie qui font perdre à un homme « la connaissance et le gouvernement de soi » (II, 2).

Mais s'il importe à Montaigne que l'on domine ses instincts, il n'approuve guère la haine de soi-même, celle dont fit preuve Spurina (*cf.* le résumé, II, 23), qui se défigura pour éviter que sa beauté ne le corrompe (II, 33). Finalement, ce n'est pas à la façon dont on meurt qu'on doit être jugé, mais à celle dont on vit : « À mon avis, c'est le vivre heureusement [...] qui fait l'humaine félicité » (III, 2).

14 Le style de Montaigne

▰▰▰ LES CITATIONS

Les *Essais* sont « farcis » (nourris) de citations d'auteurs avec lesquels Montaigne dialogue. Il commente ces citations (III, 5). Il complète ceux qu'il cite : « Et serait meilleur de dire à Solon [...] » (I, 3), ou il les contredit : « À mon avis, c'est le vivre heureusement, non, comme disait Antisthène, le mourir heureusement, qui fait l'humaine félicité » (III, 2). Les auteurs qu'il mentionne n'interviennent pas dans les *Essais* pour garantir une vérité, mais pour permettre à Montaigne d'exprimer sa pensée.

Car Montaigne dialogue aussi — et peut-être surtout — avec lui-même. Il se relit au fur et à mesure des rééditions, et reprend sans cesse ce qu'il a écrit : « J'ajoute, mais je ne corrige pas » (III, 9)[1]. Ceci atteste un souci de clarté et une recherche de la vérité dans l'expression.

▰▰▰ LE REFUS DE LA RHÉTORIQUE[2]

Montaigne est hostile à toute rhétorique : l'ornementation de la phrase risque de défigurer la pensée. Cela dit, il ne cesse de s'interroger sur l'écriture : comment trouver le mot juste pour traduire telle idée ? Comment énoncer clairement ce qui tient à la fois du conscient et de l'inconscient chez l'homme ? Pour que le style serve la pensée[3], Montaigne

---

1. On compte ainsi 624 additions au livre I, 931 au livre II et 495 au livre III.
2. Initialement « art de bien dire », la rhétorique devient ornementation de la phrase. Les chapitres I, 51 et 54 manifestent ce refus de la rhétorique (voir le résumé).
3. En face d'un texte vigoureux et profond, il explique : « Je ne dis pas que c'est bien dire, je dis que c'est bien penser » (III, 5).

s'efforce de rester le plus près possible de l'impression concrète ; il modèle son écriture sur l'oral : « Le parler que j'aime, c'est un parler simple et naïf, tel sur le papier qu'en la bouche » (I, 26).

■■■■■ DEUX TYPES DE PHRASES

Le plus souvent, Montaigne s'efforce d'adapter le caractère simple et naturel de son expression à la simplicité de son sujet. Le premier type de phrase qu'il apprécie est le langage « nerveux, court et serré » de Plutarque et de Sénèque (I, 26). Il s'applique lui-même à des phrases brèves et lapidaires : « La peste de l'homme, c'est l'opinion [le désir] de savoir » (II, 12), ou encore cette phrase qui vient presque conclure les *Essais* : « Au plus élevé trône du monde, si [pourtant] ne sommes assis que sur notre cul » (III, 13). D'autre part, la concision de l'expression impose au lecteur un travail grâce auquel il communique avec l'auteur, comme dans la « conférence » (III, 8).

Cependant, le style de la phrase dépend de son contenu. On observe ainsi un deuxième type de phrase chez Montaigne, une phrase longue qui, interrompue par une série d'incises (propositions entre virgules), embrasse les aspects divers et les sinuosités d'une même pensée en s'appuyant sur des participes : « Est-il possible de rien imaginer [de] si ridicule que cette misérable et chétive créature, qui n'est pas seulement maîtresse de soi, exposée aux offenses de toutes choses, se dise maîtresse et impératrice de l'univers, duquel il n'est pas en sa puissance de connaître la moindre partie, tant s'en faut [à plus forte raison] de la commander ? » (II, 12).

Faire l'expérience de la réflexion, c'est accepter de livrer au lecteur une pensée inachevée, ouverte, qui fait des tours et des détours pour traiter un sujet. Ce type de phrase à compartiments fait apparaître les fluctuations de la réflexion et traduit la diversité du monde ou de l'homme : « Là, je feuillette à cette heure un livre, à cette heure un autre, sans ordre et sans dessein, à pièces décousues ; tantôt je rêve, tantôt j'enregistre et dicte, en me promenant, mes songes que voici » (III, 3).

■■■■■ LA COMPOSITION

D'une part, Montaigne ne traite pas à fond tous les sujets qu'il se propose d'aborder : c'est qu'il est conscient de ne pouvoir le faire (I, 50). D'autre part, il évite d'expliquer comment il passe d'un sujet à un autre. Il ne cherche pas à convaincre par des arguments, il veut faire réfléchir le lecteur et exige de lui un travail critique (III, 9)[1]. Il livre ainsi ses observations, confronte des exemples qui se contredisent, propose une anecdote pour soutenir une idée, puis relate une anecdote qui contredit la première. Un exemple en amène un autre, une digression vient se greffer sur un raisonnement, et la syntaxe montre une pensée en train de naître, qui progresse par associations, avec des changements de direction : « Mon style et mon esprit vont vagabondant de même » (III, 9).

Au chapitre « Des boiteux » (III, 11), par exemple, Montaigne évoque d'abord les capacités sexuelles des boiteuses, puis des tisserandes. La rumeur qui leur attribue ces capacités appartient aux illusions que fabrique l'imagination. De même, la croyance aux sorcières et aux diableries a pris corps dans l'opinion publique par une cascade de témoignages non vérifiés mais confirmés par des autorités savantes. La rumeur a voilé la réalité : on évoque les méfaits des sorcières sans se soucier même de prouver qu'elles existent.

■■■■■ LES PROCÉDÉS STYLISTIQUES

S'il refuse le « fard » des figures de style (III, 12), Montaigne recourt souvent à des images qui lui permettent d'éviter l'abstraction. Il se sert volontiers d'antithèses qui clarifient la présentation d'une opposition : « Le plus vieil et mieux connu mal est toujours plus supportable que le mal récent et inexpérimenté » (III, 9), ou bien « Il faut se prêter à autrui, et ne se donner qu'à soi-même » (III, 10).

Montaigne renforce ces antithèses en les disposant de façon symétrique et en les modelant sur des allitérations

---

1. Voir p. 37, « Titre et structure des *Essais* ».

ou même des paronymes (jeux sur les ressemblances phoniques) : « Ils laissent là les choses, et s'amusent à traiter des causes » (III, 11)[1]. Son goût pour les mots et les variations de sens le conduit à utiliser un même terme dans une phrase où il reçoit deux acceptions différentes : « L'esprit ne saisit [comprend] pas clairement ce qu'il saisit [appréhende par la pensée] » (II, 12).

Par refus de l'affirmation catégorique, il redouble les mots : « un parler succulent et nerveux, court et serré » (I, 26), et s'efforce de nuancer sans cesse sa pensée : « J'aime ces mots qui amollissent et tempèrent la témérité de nos propositions : À l'aventure, Aucunement, Quelque, On dit, Je pense, et semblables » (III, 11).

Toujours soucieux de faire voir concrètement ce dont il parle, Montaigne propose de nombreuses comparaisons familières : « La méchanceté fabrique des tourments contre soi, comme la mouche guêpe [la guêpe] pique et offense autrui » (II, 5) ; ou encore : « Le vice laisse, comme un ulcère en la chair, une repentance en l'âme » (III, 2). Ailleurs, il représente la mort grâce à l'image concrète du ver de terre, ce qui lui permet de démystifier la grandeur des rois, et de dédramatiser la mort : « C'est le déjeuner d'un petit ver que le cœur et la vie d'un grand et triomphant empereur » (II, 12). Il recourt fréquemment aussi à la métaphore. Pour évoquer la formation de l'esprit critique, il dit par exemple : « Qu'on lui fasse tout passer par l'étamine [au crible du jugement], et ne loge rien en sa tête par simple autorité et à crédit » (I, 26).

Pétrie de locutions concrètes et d'expressions familières, l'écriture de Montaigne est enfin empreinte de beaucoup d'ironie. Il conclut ainsi son chapitre « Des cannibales » (I, 31) en faisant entendre le jugement que portent ses contemporains sur les Brésiliens : « Mais quoi ! Ils ne portent point de hauts de chausses. » Par la mention de ce détail vestimentaire, il dénonce l'étroitesse du jugement posé.

---

1. Montaigne veut dire ici que les hommes cherchent trop souvent à expliquer des faits, avant même de s'assurer que ces faits existent.

QUELQUES CITATIONS

Sur l'éducation

● *Qu'il ait plutôt la tête bien faite que la tête bien pleine* (I, 26) : il n'importe pas d'avoir des connaissances nombreuses, mais plutôt des idées claires et de la méthode.

● *Le voyager me semble un exercice profitable. L'âme y a une continuelle exercitation à remarquer les choses inconnues et nouvelles* (III, 9) : l'ouverture au monde extérieur est largement aussi instructive que les livres.

Sur l'amitié

● *Si l'on me presse de dire pourquoi je l'aimais, je sens que cela ne se peut exprimer qu'en répondant : ''Parce que c'était lui, parce que c'était moi''* (I, 28) : par cet alexandrin, Montaigne célèbre l'amitié qu'il a éprouvée pour La Boétie.

Sur l'homme et la société

● *La plus grande chose du monde, c'est de savoir être à soi* (I, 39) : le plus important, aux yeux de Montaigne, est de s'observer avec lucidité, et d'obéir au précepte de Socrate : « Connais-toi toi-même. »

Sur la vraie liberté

● *La vraie liberté [...], c'est pouvoir toute chose sur soi* (III, 12) : être libre ne signifie pas s'affranchir des lois, ou dominer les autres, mais se connaître pour rester maître de soi.

● *Au plus élevé trône du monde, nous ne sommes assis que sur notre cul* (III, 13) : une position sociale, tout honorifique soit-elle, ne doit pas nous faire oublier notre identité réelle, qui ne s'est pas transformée.

Sur la mort

● *Philosopher, c'est apprendre à mourir* (I, 20) : le but de toute philosophie doit être de se préparer à accepter la mort.

● *Qui craint de souffrir, il souffre déjà de ce qu'il craint* (III, 13) : la crainte de la douleur est déjà douloureuse ; elle est donc inutile.

Sur la vie

● *Nature est un doux guide, mais non plus doux que prudent et juste* (III, 13) : en vivant selon la Nature, qui pourvoit à nos désirs essentiels, on ne peut se tromper.

BIBLIOGRAPHIE

Éditions des *Essais*

— *Œuvres complètes* (*Essais, Journal de voyage, Lettres...* (éd. « Bibliothèque de la Pléiade », Gallimard, 1967).
— Édition en français moderne (collection « L'intégrale », Le Seuil, 1963).
— Édition établie par Villey-Saulnier (collection « Quadrige », PUF, 1988).
— Édition établie par C. Piganaud, avec traduction entre crochets (Arléa, 1992).
— Édition Folio (Gallimard, trois volumes, n° 289, 290 et 291).
— Édition Le Livre de Poche (trois volumes, n° 1393, 1394, 1395).

Études critiques

— M. Butor, *Essai sur les « Essais »* (Gallimard, 1968). L'amitié pour La Boétie a engendré les *Essais*, qui sont construits autour de la figure de l'ami.
— H. Friedrich, *Montaigne* (1942, Gallimard, 1968). Analyse déjà ancienne, mais très solide.
— F. Jeanson, *Montaigne par lui-même* (Le Seuil, 1951). Très abordable.
— M. Lazard, *Michel de Montaigne* (Fayard, 1992). Biographie riche et vivante.
— M. Merleau-Ponty, « Lecture de Montaigne », dans *Signes* (Gallimard, 1960). Une réflexion brève, mais très pertinente sur Montaigne.
— G. Nakam, *Les « Essais », miroir et procès de leur temps* (Nizet, 1984). Montaigne et les événements historiques contemporains des *Essais*.
— J.-Y. Pouilloux, *Lire les « Essais » de Montaigne* (Maspero, 1969). Analyse brillante du refus de la structure chez Montaigne.
— J.-Y. Pouilloux, *Montaigne. « Que sais-je ? »* (La Découverte, 1991). Très abordable : l'auteur se met à la place de Montaigne.
— J. Starobinski, *Montaigne en mouvement* (Gallimard, 1982 et 1993). Série d'études sur la relation de Montaigne aux autres, au mensonge, à la maladie.
— A. Tournon, *Montaigne en toutes lettres* (Bordas, 1989). Étude très riche, munie d'un index pratique et qui propose des analyses précises de certains chapitres.

INDEX DES THÈMES ET NOTIONS

LITTÉRATURE

FORMATION

Achevé d'imprimer par Maury-Imprimeur S.A.
45330 Malesherbes
Dépôt légal nᵒ 9191 – Septembre 1993
Nᵒ d'imprimeur : 44169 E